日本人の武器としての世界史講座

茂木 誠

まえがき

本書完成の直前に、朝日新聞の誤報訂正が大きな話題になりました。
韓国・済州島で「従軍慰安婦狩りをした」という作家・吉田清治氏の証言を事実として報道してきましたが、「その後の調査の結果、吉田証言は虚偽であった」と朝日新聞が公式に認めたのです。

歴史とは、「歴史的事実（証拠）」＋「歴史観（解釈）」です。

事実に基づかない歴史は、単なる妄想です。
「日本軍は戦争犯罪を繰り返した」という歴史観に忠実だった朝日の記者は、吉田証言の事実関係を検証することなく、妄想を記事にしてしまったのです。

逆に、歴史観に欠けた歴史は、事実の羅列にすぎません。

一九八九年の学習指導要領により、高等学校での世界史が必修化されました。「国際社会に生きる日本人としての自覚と資質を養う」というお題目のもと始まった世界史必修化で、日本人の国際的教養が高まったのでしょうか？

高校の世界史教科書は、先史時代から現代まで、世界のあらゆる地域の出来事をすべて記載しなければならない、という強迫観念に捉われています。こうしてなんでもかんでも詰め込んだ結果、ただの出来事の羅列になってしまったのです。そこからいまを生きるわれわれが何かを教訓として得ようとか、未来を予測しようとかいうことはほとんど不可能になっています。

2022年から実施される指導要領では、近現代の日本史・世界史を統合した「総合歴史」が必修化されました。現代史の重視は私も大賛成ですが複数の歴史観がぶつかる現代史を教科書にするのは至難の業。結局、事実の羅列になる予感がします。

本書では、歴史観を明確にして世界史をザックリ切ってみました。地理的に近い中華世界、紛争多発地帯の中東世界、日本に多大な文化的影響を与えてきた欧米世界だけを扱い、古代オリエントやインドの王朝は割愛しました。アケメネス朝とアルサケス朝との違いは、現代人にとって「どうでもいい」からです。

教科書には書けない世界史を、どうぞお楽しみください。

日本人の武器としての世界史講座　目次

[第2章] 一神教を理解する……………79

[第3章] ヨーロッパ文明の源を理解する……135

装丁　フロッグキングスタジオ
イラスト　ヤギワタル
編集協力　川端隆人

［第1章］

日中・日韓関係史を理解する

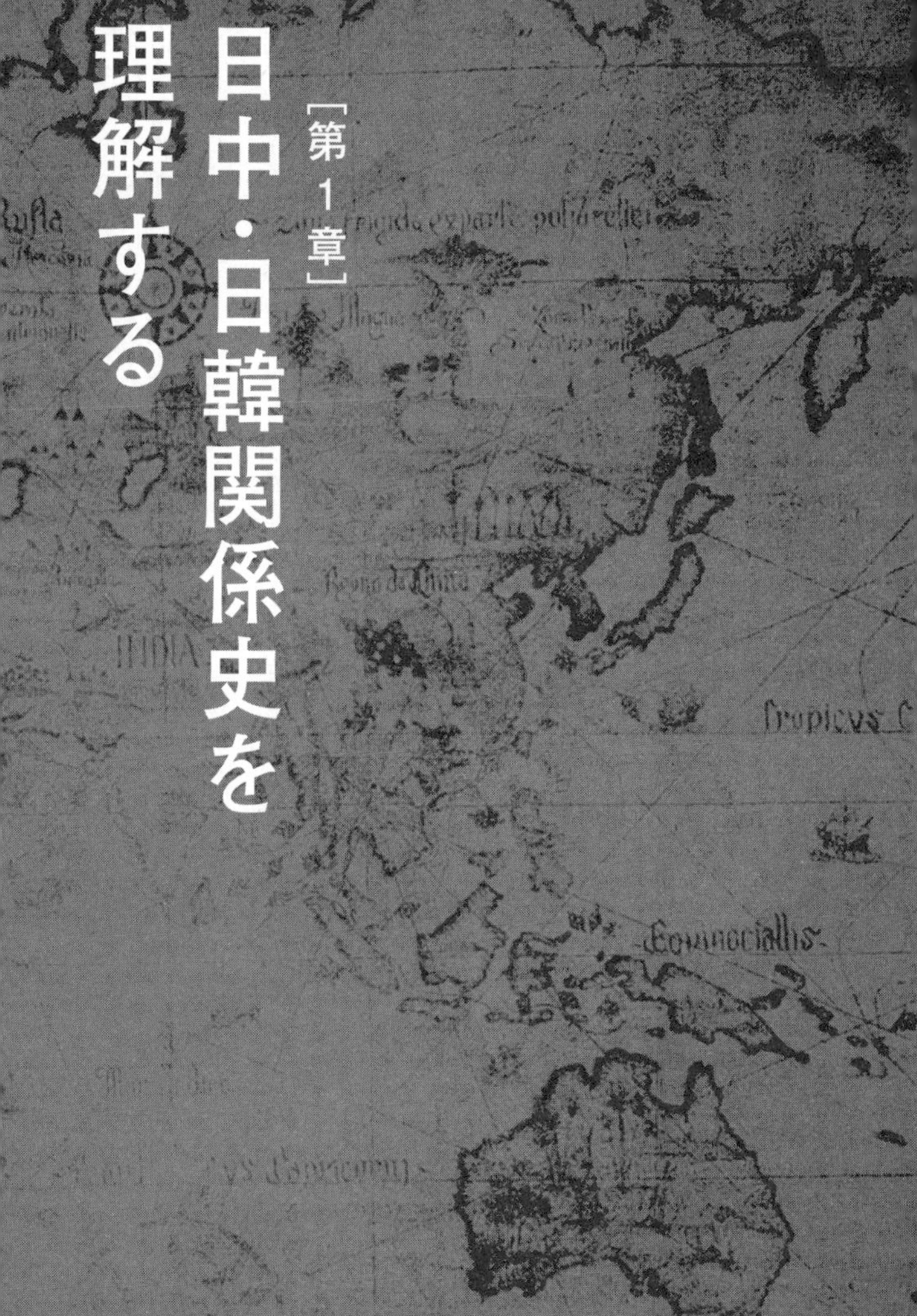

「中国」は『史記』の正統史観から始まった

日中関係の根源を辿っていくと、そもそも日本がいつからあるか、中国がいつからあるかという話に行き着きます。

そこで、まずは「中国の始まり」という話をしてみたいと思います。

『史記』という歴史書をご存じですか？

――司馬遷でしたっけ？

そうですね。漢代に書かれた歴史書です。この『史記』に、歴史の始まりについて書いてあります。簡単に言うと、はるか昔に三つの王朝が交代した。最初は夏、次が殷、そして周、という順番です。

『史記』の記述が正しいと仮定すれば、夏王朝の成立がだいたい紀元前二〇〇〇年。殷の成立が紀元前一六〇〇年頃。周の成立は紀元前一〇〇〇年頃。「中国四千年」という言い方は、夏王朝から数えているのです。最近では「五千年」に延びたようですが（笑）。

考古学的に実在が証明できるのは、殷王朝からです。いずれにせよ、夏・殷・周というのは、いまの中国のほんの一部を治めていたにすぎません。黄河の周りだけです。

——いまの中国からすると、かなり狭い領域ですね。

十分の一、といったところでしょうね。

黄河の周りにできた国々ということで、これらの王朝をまとめて「黄河文明」と呼びます。

ところで、中国にはもう一本、大きな川がありますね。南の長江です。こちらにはまったく別の「長江文明」がありました。

二つの文明にはどんな違いがあったか。

長江の周りを「江南」と言います。江南地方は温暖で、梅雨があるんです。

——日本みたいですね。

そう。江南地方は日本の本州以南とほぼ同じような自然環境です。つまり、米作に適している。実際、いまでも江南地方の田舎に行くと水田がずっと広がっていて、日本人から見ても懐かしい感じがします。

つまり、長江文明は稲作民族が作ったものです。

一方、黄河の流域（中原）は乾燥し、黄砂が舞う別世界です。こちらは梅雨がまったくないので、米作は無理。畑で麦を作る畑作文化です。

このように、黄河文明と長江文明はまったく違う文化圏で、おそらく言葉も通じなかった。北の黄河文明が、南の長江文明を滅ぼして統一王朝を築いた。そして、自分たちこそが正統だとする歴史観を教えこむために作ったのが『史記』なんです。

残念ながら、滅ぼされた長江文明のほうは文字を持っていませんでした。したがって歴史を残していません。ただ、『史記』に国名が記され、伝説も残っています。それが長江河口の呉、越、それから長江中流の楚です。とくに呉・越は、「呉越同舟」という四字熟語になっていますね。『史記』が伝える伝説では、周の王子だった太伯・虞仲が王位継承争いを避けて東方へ逃れ、現地人の風習である断髪・文身（短髪にし、刺青をする）をして蛮族の王となった、と伝えています。

北の黄河文明では、周王朝が内紛で崩壊したあと、各地に地方政権ができます。これがいわゆる「戦国時代」です。北の燕、東の斉、真ん中の趙・魏・韓、そして西の秦です。

加えて、南方では楚の国が生き残って、これを含めて全部で七つの国が覇を競ったのが戦国時代ということになります。

最終的に、一番西にあった国、秦の始皇帝が他の六国を征服して、史上最初の中華帝国を建てます。Chinaという国名の起源がこの「秦」（中国語で「Qin」）です。

この戦乱の時代に、長江文明の流れをくむ南方系の人たちは、北方系の秦の支配を嫌ってあちこちに移動します。

一つは南に行きました。いまの広東地方です。さらにその南、いまのベトナムまで移っていった人々もいます。この人たちのことをまとめて「越人」と言います。ちょうど始皇帝の時代には、いまのベトナムから広東にかけてのことを「南越」と言いました。これがベトナムの始まりです。現在のベトナム人の祖先は、もともとは長江の流域から南下した民族です。

もう一つ、東の海上に出たグループが、東シナ海から黒潮に乗って北方に流され、日本列島に到達します。この人たちは倭人と呼ばれました。「背の低い蛮族」という意味です。

日本列島に稲作（水田技術）が伝来した弥生時代は、最近の研究では紀元前五世紀頃に始まるといわれています。これは呉王・夫差が越王・勾践に滅ぼされたのとほぼ同時期に

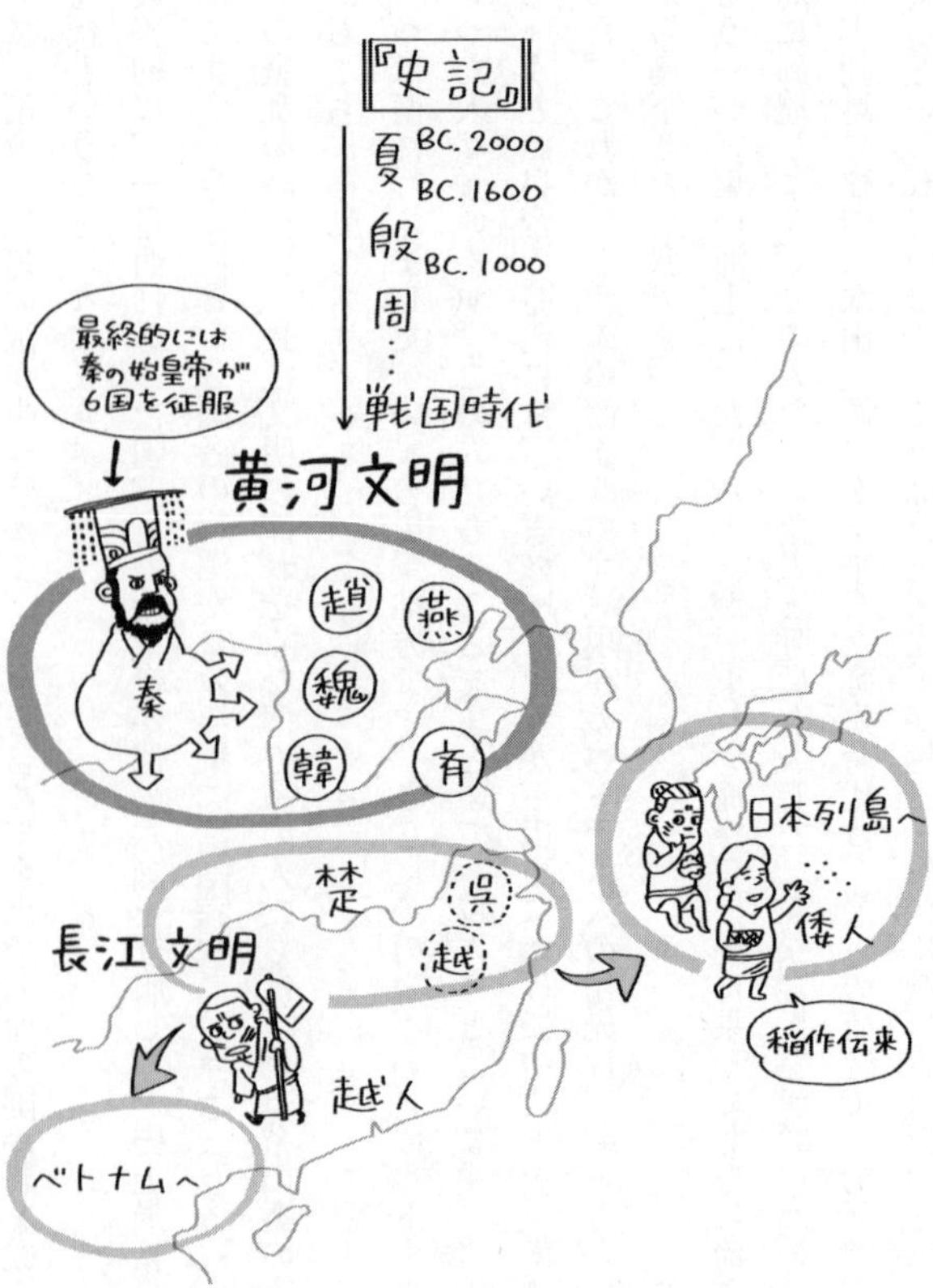
『史記』
夏 BC.2000
BC.1600
殷 BC.1000
周
戦国時代
最終的には
秦の始皇帝が
6国を征服
黄河文明
趙
燕
魏
秦
韓
斉
楚
呉
越
長江文明
越人
ベトナムへ
日本列島へ
倭人
稲作伝来

なります。

ということは、秦の中国統一まで続く動乱によって大量の難民が日本に来たことは間違いなく、彼らが日本に米作を伝えたと考えられる。実際、日本で作られている米のＤＮＡを調べた結果、その起源は長江下流域——呉・越地方であることがすでにわかっています。邪馬台国に関する最古の記録である『魏志倭人伝』には、「倭人の男子は大人も子供もみな黥面・文身する（顔にも体にも刺青をする）」とあります。『史記』が伝える呉人・越人の風習とそっくりですね。

——これが日本人のルーツなんですね？

いや、注意しなくてはいけないのが、「倭人」＝日本人、ではないということ。倭人は朝鮮半島南部にもいたし、倭人が来る以前にも日本列島には縄文人がいたからです。がっしりとした体格で、目鼻立ちのはっきりした、畑作や狩りで暮らす民族です。この縄文人の上に、呉・越から稲作技術を持って倭人＝弥生人——背のすらっと高い、面長の民族がやってきて混血した。こうして日本人が形成されたんだろうと考えられます。

さて、大陸に話を戻しましょう。

始皇帝の秦の次が漢王朝です。秦と漢、合わせて四百年間続いた長期王朝が、中華帝国のかたちを作りました。

では、秦と漢では広大な領域をどの程度統一できたのでしょう。すべて同じ民族になったのでしょうか？　そんなことはありえないですよね。

中国ではいまだに各地で違う言葉が話されていることはご存じでしょう。

――北京語、と言ったりしますものね。

実際に上海の人は学校で教わらないと北京の言葉がわからない。広東の人もそうです。北京の中央テレビのニュースでは、下に字幕スーパーがつきます。北京語の発音を耳で聞いただけでは、地方の人にはわからないからです。

いまでもそうなのですから、秦や漢王朝の時代に中国全土で言葉が通じたということはありえない。

では、どうやって政治をやるか。各地域で話し言葉が違うとすれば、共通語がないと帝国は維持できないでしょう。

そこで、黄河中流域（中原）の言葉を共通語ということにして、それをマスターした役人を地方に派遣して統治させる、ということが考えられた。それでは、どうやって役人に共通語をマスターさせるか。中原の言葉で書かれた古典を暗記させたのです。中学・高校の漢文の時間に教わる「漢文」というのが、まさにこれです。

――ああ、『論語』とかですね。

漢代にはまだ『論語』は入っていなくて、『詩経』、『書経』、『易経』、『春秋』、『礼記』の五種類、合わせて五経と言います。

漢王朝の黄金期を築いた武帝の時代に董仲舒という学者がいました。この人は儒家、儒学者です（儒家についてはあとで説明します）。

この董仲舒の提案によって、五種類の経典をすべての官僚に学ばせましょう、丸暗記させましょうということになった。五経を読み書きできる人が正式な漢王朝の官僚になるという仕組みですね。のちの隋の時代には、官僚採用試験（科挙）で五経を出題するようになります。中華帝国で儒学が重んじられたというのは、経典の内容がどうこういう以前に、まず共通語を作ろうということなんです。

ローマ帝国の公用語がラテン語だったため、ローマが地中海世界を統一すると、服属した諸民族はラテン語を必死でマスターした。ローマ帝国の崩壊後も、聖職者や法律家など知的エリート層の言葉としてラテン語は残りました。イギリスやフランス、ドイツでも公文書にはラテン語を使うという習慣がルネサンス期まで続きます。ラテン語は古代ローマの言葉ですから、中世以降の一般人にはまったく理解不能です。

同様に、「漢文」も古代中国の中原の言葉ですから、科挙の受験勉強をするようなエリート層だけが読み書きできて、あとの一般大衆はまったく読めない、書けないという状況が最後まで続きます。「漢文」がラテン語だからです。それが結局、あの国の近代化を遅らせることになったのです。二十世紀初頭になってようやく、民衆の言葉で書こう、という白話運動が起こり、庶民の識字率が向上しはじめます。

封建制度の基本原理は血縁関係

漢で「共通語」のテキストとなった五経は、儒教、儒学の経典です。では、儒学という思想が、どういう社会から生まれたのかを見てみましょう。

古代中国には邑（ゆう）という都市国家がありました。周りを城壁に囲まれていて、南に門があります。昼間は開いていて夜は閉める。邑の住人は周りに土地を持っていて、昼間は門を出て農作業に行って、夜は戻ってきて中で寝るということです。

原則として、一つの邑に住んでいるのは全員ファミリー、血縁者です。このような大家族を宗族（そうぞく）と言います。同じ祖先を祀（まつ）る、同じ苗字（みょうじ）、つまり同姓の男系血縁集団です。

宗族は男系ですから、男の子に跡を継がせます。ここで、「同姓不婚」という決まりが生まれます。同じ姓の男女は結婚できないということです。つまり、結婚相手は別の宗族に求めないといけません。

たとえばこの邑が李（り）さんの町だとしましょう。すると李さんの娘は年頃になると、近くの王（おう）さんの邑に嫁入りする。逆に李さんの息子は、王さんの娘を嫁にもらう、というようにします。

——近親結婚はダメ、ということですか？

いや、もっと政治的な理由からです。

基本的に隣の邑というのは敵です。常に争っています。だからお互いに嫁をとることによって平和条約を結ぶ。安全保障のための道具であり、お互いに贈り物をするうちの一つが女性だ、ということ。はっきり言うと、人質になるわけです。

すると、もしも王さんと李さんが戦になれば、彼女は殺されるかもしれない。結婚は恋愛ではなく政治です。嫁に行くというのは命がけなわけですね。ですから、李さんの町の女性が王さんのところに嫁入りをしても、彼女は、王さんのファミリーには決して入れてもらえません。「おまえは李の娘」だ、と一生言われます。

最近は夫婦別姓という話があって、「女性が夫の姓に変わるのは女性蔑視だ」と言う人がいますが、中国の場合は女性が人質のように扱われた古代から夫婦別姓です。逆に言えば、夫のファミリーの一員として迎えられる日本の女性というのは非常に恵まれているとも言えるのです。

――なるほど。ところで子供が生まれたら、父親の宗族に加わるんですか。

そうなります。だから子供から見ると、お父さんは自分と同じ宗族ですが、お母さんは違う宗族ということになる。この感覚は、日本人にはわからないと思います。

中国史を見ていきますと、ものすごい悪女がしばしば出てきます。

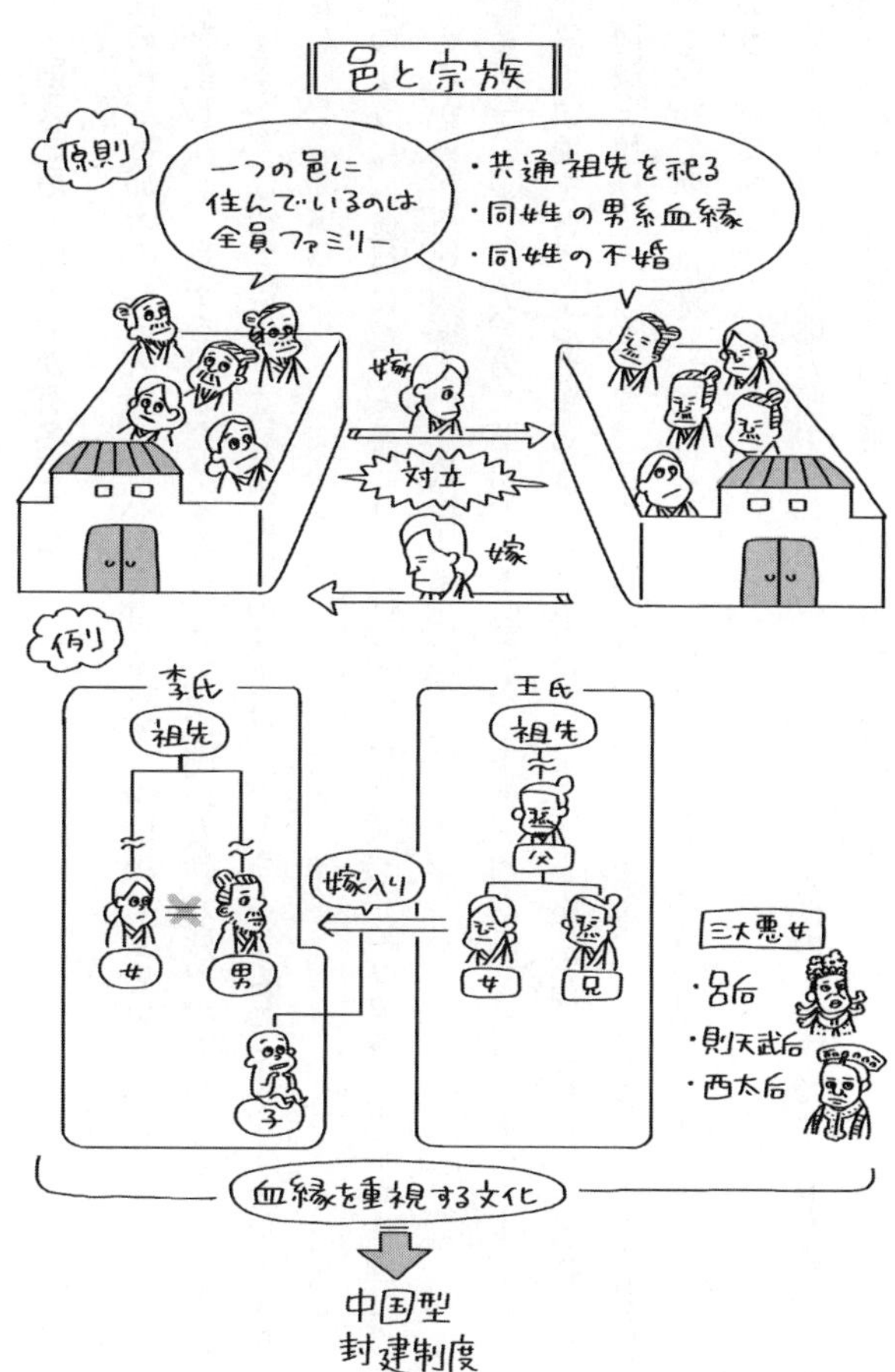
邑と宗族
原則
一つの邑に
住んでいるのは
全員ファミリー
・共通祖先を祀る
・同姓の男系血縁
・同姓の不婚
嫁
対立
嫁
例
李氏
祖先
女
男
子
嫁入り
王氏
祖先
父
女
兄
三大悪女
・呂后
・則天武后
・西太后
血縁を重視する文化
中国型
封建制度

——則天武后（そくてんぶこう）や西太后（せいたいこう）が有名ですね。

漢の呂后（りょこう）も加えて「三大悪女」なんて言います。中国の悪女というのはすごくて、平然と夫を殺したり、息子を殺したりする。それは中国の女性が残忍だから、というよりは、「旦那やその一族は敵だ」、「自分の本当の味方は、お父さんやお兄さんだ」という文化があるからなんですね。

このように、血縁に重きを置く、血縁しか信用しないというカルチャーが中国にはある。そこから、封建制度という政治体制が生まれてきます。

紀元前一〇〇〇年頃、第二王朝である殷を第三王朝の周が倒します。そのとき、周の武王が殷の領地をどうやって治めようかと考えた。そこで、弟の周公旦（しゅうこうたん）という人物に魯（ろ）という地域を預けます。そして、「年に一度は貢ぎ物を持って来い。もしまた敵が現れたら、軍勢を率いて助けに来い」と言った。「俺とおまえは血を分けた兄弟だから信用できる」というわけです。

この周公旦のような地方領主を「諸侯」と言います。王様の一段下です。そして、王と諸侯とは必ず血縁関係で結んでいく。これが封建制度です。

とはいえ、王様と血縁がない有力者を諸侯にしなければならない場合もある。敵国が降参して支配下に入り、諸侯に任じるような場合です。

こういうときはどうするかというと、嫁の交換をします。先ほどの李さんの町と王さんの町と同じです。こうやって、何がなんでも血縁関係を結んでいかないと、彼らは安心できない。そういう文化なのです。

王様が諸侯に与える領地には、周りにちょっと盛り土をして目印を作りました。この盛り土のことを「封（ほう）」と言う。封を建てるから封建（ほうけん）制度というわけです。

——封建制度って、江戸時代までの日本や、中世ヨーロッパにもありましたよね。

そこがややこしいところです。

実は、日本とヨーロッパの封建制は、中国のそれとはまったく違います。これはかなり大事なことで、「周の封建制とヨーロッパ、日本の封建制との違いを述べなさい」といったかたちで、入試問題にも出題されます。

いずれの封建制も、主君と臣下の関係である点は同じです。主君（親分）が臣下（子分）に土地を与え、臣下は親分に対して戦争のときに助けに行く、ということも共通です。周の場合には、臣下からの貢納があるのがちょっと違う点ですが、これは決定的な違いではない。

重要なのは、周の封建制においては、主君と臣下のもともとの関係が血縁を媒介にしている、ということ。兄と弟、従兄弟同士、おじと甥、舅と婿といった関係ですね。

対してヨーロッパと日本の封建制はどうか。たとえば織田信長の臣下が豊臣秀吉ですが、二人の関係は血縁関係ですか？

――秀吉って確か、農民の出身だったはず……。

そう、赤の他人ですね。赤の他人がどうして主君・臣下になるんでしょう？　秀吉が信長に憧れてずっと追っかけていって、冬の朝に信長の草履を懐で温めたりして、信長が秀吉を気に入って、という個人的な関係からです。

――契約のような？

そう、いわば契約関係ですね、これは。

これはヨーロッパの場合も同じです。まったく赤の他人が相手を信用して、「おまえに

○○とか××の城を与えるから、俺のために忠誠を尽くしてくれ」という契約を結ぶ。その契約がちゃんと履行される社会、これがヨーロッパと日本なんです。

逆に言いますと、中国はそれがない。つまり、血縁がない赤の他人だと信用できない、他人は平気で裏切るという社会です。

この違いは非常に重要です。というのは、近代の資本主義の世の中になってから、契約というものがますます重要になるからです。たとえば納期はいつまで、代金はいくら、という約束をしょっちゅう破るようでは、資本主義経済は成り立ちません。

それがいままさに中国で起こっていることです。中国に進出した日本企業が散々苦労しているのは、しょっちゅう納期遅れとか、代金のごまかしとかが起きるからです。これは「他人には騙されても仕方がない」という文化があるからです。中国の資本主義のいちばんの弱点はここでしょうね。

――中国の封建制には契約観念がなかった、というのが重要なわけですね。

封建制というと何か悪いこと、遅れた体制のように考える傾向がありますが、実は逆なんです。日本やヨーロッパのように、契約関係としての封建制がちゃんと機能した地域は、実は近代化に成功している。一方、血縁に頼った中国式の封建制は、近代化の障害になった。

さらに、中国の封建制のいちばんの弱点というのは、頼みの綱である血縁がどんどん薄れてしまうということ。たとえば王様がお兄さんで、諸侯が弟だとします。二人が死んだらそれぞれの息子が地位を継いで、王と諸侯は従兄弟（いとこ）同士になる。次の三代目になると、又（また）従兄弟同士になる。こうしてどんどん代を重ねていくと、限りなく血縁が薄れていく。祖先が兄弟で同姓だから、嫁の交換もできない。こうして百年、二百年経てば、もう「あんた、誰？」という世界になるわけです。

この結果、周の封建制は崩壊することになります。有力諸侯たちが台頭し、やがて諸侯は勝手に王を名乗って争いを始めます。春秋戦国時代の到来です。

諸子百家（しょしひゃっか）——統治システム再建の試み

このとき、めちゃめちゃになっちゃった社会をどうやって立て直すか、ということを考えた学者が数多く登場しました。これをまとめて諸子百家と言います。「子」というのは先生という意味で、たくさんの先生、たくさんのグループということですね。

そのうち主なものが、道家・儒家・墨家・法家の四つです。それぞれの思想について簡単に説明しましょう。

まず道家というのは、文明そのものが間違っている、という考えです。人間は文明を作り、都市を作って、商業が始まって、軍備を持って、王が現れておかしくなったのだと。自然の掟（道）に従って生きる野生動物は戦はしない。だから文明を捨てて自然に戻るのがすばらしいんだ、という考え。これを「無為自然」と言います。一切の文明を否定する無政府主義のような思想で、後漢末期の黄巾の乱のような反体制運動につながります。

次が儒家です。これは有名ですね。

――孔子が唱えた思想ですよね。

そうです。孔子という人は、周の諸侯である魯の国の下級貴族に生まれ、最終的には法務大臣にまでなった人です。古い書物を読んでみたら、周の時代は平和な時代だったと書いてある。みんながファミリーであって、王様と諸侯が助け合っていた。それが崩れてしまった結果が現在の戦乱であるから、もう一回元に戻せば平和が甦る、と彼は考えた。

失われた封建制の再建です。

そこで孔子は、まず家族を再建し、血縁による統治を甦らせるということを考えました。そして、家族を愛する心を政治に当てはめる。お父さんが子供たちを愛するように、王は人民を愛し、子供たちが親を慕うように、人民が王様を慕えばみんながうまくいく、と言った。この家族愛のことを「仁」と言います。

このように、儒家の考えでは王様はお父さんです。したがって、愛情深い父親のように、「仁」で治めるお父さんを、王様は目指すべきである。そうすれば、人民は強制しなくても勝手に王様についていくだろう。強制しなくても人々を引きつける力、魅力のことを「徳」と言います。儒家の理想は、徳で国を治める「徳治」です。これはあとで法家との比較でポイントになりますから憶えておいてください。

三つ目が墨家です。孔子と同じ魯の国の学者で、墨子という人がいました。墨子は孔子のいちばんのライバルでした。

孔子は下級貴族の出身ですが、墨子は生まれがよくわかりません。下層民の出身だったようで、彼は封建制による秩序を否定しました。封建制というのは生まれながらに身分が決まっている社会で、王に生まれればどんなバカでも王だし、奴隷に生まれればどんなに才能があっても奴隷である。それはおかしい、人間は個人として平等であると。その中で実力を競い合って、能力があれば昇っていくと。力がなければ落ちるという考え方です。

——実力主義ですね。

そう、個人主義と実力主義と言っていいでしょう。非常に現代的な考えをしたのが墨子ということになります。

また、墨子は「力がすべてであれば、強い国が弱い国を滅ぼしてもいいのか」と弟子に問われて「それは違う」と言っています。競争は学問や商売でやるべきで、武力で争ってはいけないというのです。これを「非攻」と言います。その一方で、墨子教団は、戦争のプロ集団、傭兵(ようへい)集団でもありました。小国が大国に攻めこまれて困っていると、軍事援助を行ったのです。「憲法九条」的な平和主義ではありません。

最後の四つ目は法家(ほうか)です。儒家の封建制再建に対して、壊れてしまった封建制は元に戻らないから、もうやめてしまえと法家は言います。つまり、血縁に代わるシステムを作るべきであり、それが「法」であるというのです。王が法を制定して、力によって全人民に強制する、身分制は撤廃し、王と人民だけのいる社会にする。このシステムを運用するために、官僚を養成するというのが法家の考え方です。

以上の四つのうち、秦が採用したのが法家でした。法家の学者である商鞅は秦に仕えて大改革を行い、封建制を撤廃し、身分制を撤廃し、中央集権官僚制度を作ります。この改革が大成功した結果、秦が強大化して他の封建制をやっていた国々を次々に潰していき、ついに秦が天下を統一したわけです。

――法家思想が中華帝国を作った、ということですね。

ええ。しかし、反発も大きかった。始皇帝のいちばんの側近だった李斯も法家の学者で、統一後は、法家のやり方を全土に広げました。まったく言葉の通じないような民族に対しても同じ法律で統治し、逆らえば罰するという強制を行った。始皇帝を批判した儒家の学者数百名を生き埋めにし、書物を焼いた焚書・坑儒も李斯の建策によるものです。

始皇帝の死後、各地で反乱が起こります。かつての楚の国で起きた陳勝・呉広の乱という農民反乱をきっかけに、始皇帝の帝国はわずか十五年で崩壊してしまったわけです。そのあと楚人の項羽と劉邦が天下を争い、劉邦が勝利して漢王朝を建てます。

――劉邦も、楚の人なんですね。

はい。楚の出身です。つまり、秦のやり方を力ずくで押しつけられた南方の人です。始皇帝の悪政を身に染みて知っているわけですね。だから劉邦は法家を嫌い、法三章といって、殺すな、傷つけるな、盗むな、の三カ条だけ定め、始皇帝の法は廃止してしまいます。

とはいえ、漢王朝がどういう政策で統治をするかということはなかなか決まりませんでした。これを決めたのが七代目の武帝です。

武帝も始皇帝の逆をやればいいと考えた。始皇帝は法家を採用し、儒家を嫌って弾圧しました。ということは逆に、儒家を利用すれば国が治まるはずだと。

そこで、董仲舒（とうちゅうじょ）（19ページ）という儒家の学者を政策ブレーンとし、仁と徳をもって統治をすると言ったのです。人民に強制するのではなく、自ら人民の模範となる。法ではなく徳で治めるのだ、と。

――「徳で治める」というのは現実のシステムとしては想像しづらいですね。

おっしゃるとおりです。「徳治」は、具体的には官僚の採用方法に表れます。秦では始皇帝の側近たちを都から派遣して、地方の声を一切聞かなかった。これに対して武帝は、地方の「有徳者」を官僚に採用しました。このシステムのことを「郷挙里選(きょうきょりせん)」と言います。

でも、徳が高いかどうかは誰にもわかりません。ですからこれは建前で、実際にはその地方にいる地主、大商人などの有力者の子弟が選ばれるわけですが、いずれにせよこのシステムによって「地方の声」が中央の政治に反映されるようになり、漢王朝が人民から恨みを買うことは少なかった。だから漢王朝(前二〇二〜後二二〇)は、四百二十年も続き、漢字とか、漢人という概念がこの時代に生まれたのです。

このシステムは多少の改変を経て、のちの隋の時代に、科挙に変わります。

——科挙って、ペーパーテストでしたよね。

そうです。ペーパーテストで五経の読み書き能力を試すのです。建前上は身分にかかわらず成績がよければ採用される。けれども、子供の頃から英才教育をしないと科挙に合格できるはずがない。そうすると、結果的にゆとりのある地方の有力者の子弟が受かりやすくなる。この点は郷挙里選と同じです。科挙は隋から最後の清王朝まで続きました。

「中国人」は民族ではない

ラテン語ができる人が「ローマ人」になったように、五経の「漢文」を読める人が「漢人」になったのです。本来、「漢人」というのは人種概念ではなく、文化概念ということです。そして当時、東アジアで文字を持っているのは漢人だけでした。

ですから「中華」という言葉は、世界の真ん中の文明地域という意味です。その反対概念が「夷狄」つまり蛮族です。

ということは、たとえ夷狄であっても、漢文の読み書きをマスターすれば、文明人扱いになります。「中華」は民族系統を問わないということです。

モンゴル人、トルコ人など北の遊牧民は「北狄」と呼ばれ、イラン、中央アジア、チベットなど西の遊牧民が「西戎」、南のベトナム、タイが「南蛮」で、東の韓人、倭人が「東夷」となり、これらをまとめて夷狄と言うのです。

最初に出てきた三つの王朝、夏・殷・周からして、もともと夷狄でした。たとえば夏は

「南蛮」の出身だと『史記』に出てきます。武王の周も、始皇帝の秦も、元は西からやってきた遊牧民、「西戎」です。

のちの中華帝国である隋・唐などは「北狄」、あれは鮮卑という遊牧民ですし、金は女真人（のちの満州人）、元はモンゴル人ですからいずれも北狄です。

——最後の清王朝も異民族王朝ですよね。

清も北狄、満州人の王朝です。とくに北から来た異民族が強いのは、強力な騎馬軍団を持っていたからです。

さて、倭人は東夷と呼ばれる蛮族の一つでした。倭人の倭王が初めて中国史に出てくるのは「漢倭奴国王」という名で、後漢の都まで使者を派遣し貢ぎ物も持ってきた、という記録が『後漢書』にあります。

奴国王の使者に謁見したのは、後漢最初の光武帝です。光武帝は奴国王を臣下とし、「海の向こうの倭国とかいうところをおまえに封土として与える」と言ったのです。漢の皇帝が主君、倭人の王が臣下という関係ができます。このように、異民族の首長を臣下として任命することを冊封と言います。外交関係に封建制度を応用するわけです。この制度がはっきり出てくるのは後漢からで、同じように、モンゴル人・チベット人・タイ人・ビルマ人の王も冊封していくわけです。

――ずいぶん、「上から目線」ですね。

そもそも「皇帝」というのは秦の始皇帝が作った言葉ですが、「全世界の支配者」という意味です。世界政府の国家元首なんです。そこに従属する国は全部臣下になり、世界に対等な相手はいない、という「上から目線」です。この態度は、以降の中華帝国でもずっと続きます。

実際、人口五千万人の中華帝国は、圧倒的な超大国でした。これに対抗しうる力を持つ国は、東アジアにはなかったのです。ローマは遠すぎますし、インドはヒマラヤの向こうですから。

さて、この冊封とは具体的にどんなシステムだったのか。大事なのは次の四つです。

まず、王号・官職の授与。周の封建制度では王↓諸侯の序列でしたが、始皇帝からは皇帝↓王↓諸侯という序列です。ですから、漢の皇帝が倭王を臣下とするということになるわけです。ついでに、○○将軍、××大臣といった中華帝国の官職も与えられます。邪馬台国の女王・卑弥呼は「親魏倭王」、倭王・武（雄略天皇）は「六国諸軍事安東大将軍倭王」という官職を授与されています。

次が暦。皇帝は時間をも支配します。だから暦を与えて、年号を使わせる。ですから、冊封された国は中華帝国と同じ年号を使います。

三つ目が朝貢のお返しです。異民族の持ってきた貢ぎ物、各地の特産品を受け取って、その代わりに中国の特産品を与える。これを下賜と言います。絹などの高級品が中心で、朝貢した品物の五倍、十倍の価値がある下賜品を与えることにより、中華帝国の力を見せつけるわけですね。

ということは、朝貢する側からすると、これは非常に儲かるということです。逆に中華帝国にとっては、下賜はものすごい経済負担になっていきます。

最後に軍事援助。もしも臣下になった国が他の国と戦って困ったときは助けると。王号・官職、暦、下賜品、軍事援助。だいたいこの四つが冊封の中身です。

——臣下のほうがメリットが大きいんですね。

経済的にはそうですね。中国は面子を保つが、経済的には損するという構造です。

実はこの冊封・下賜の発想は、いまでも変わっていません。近年、中国はアフリカに対して盛んに経済援助をしています。アフリカの首脳を北京に招いては共産党の幹部と握手をする。テレビでその様子をよく見ていると、胡錦濤や習近平といった中国の首脳は、自分の立ち位置からは動かない。手を出して、向こうの元首がいそいそとやってきて握手を求める。あれは心理的には、アフリカ諸国を冊封しているわけです。

「倭国」から「日本」となった白村江の戦い

次に、朝鮮半島を見てみましょう。

漢の時代、朝鮮半島北部は漢の一部でした。武帝が朝鮮遠征で平定し、直轄支配したのです。これを楽浪郡と言います。現在のピョンヤンあたりです。

その後、北方から高句麗という民族が台頭します。この民族はもともと森の中で狩りをする半猟半農民で、のちの満州人につながる民族です。

漢王朝の政治が腐敗して、重税をきっかけに農民反乱が起こって崩壊したあと、中華帝国の朝鮮に対する支配が弱まった隙をついて、高句麗が満州から南下して朝鮮半島に侵入してきます。

もともと朝鮮に住んでいた先住民族の韓人、現代のコリアンの遠い祖先たちは、もう漢は助けてくれない、北方からは高句麗が迫ってくるという中で慌てて国を作りました。この結果、いまの韓国のあたりに二つの国ができました。中央の山地の東側、つまり日本海側が新羅で、西側が百済です。

彼らは中華文明を取り入れたり、倭国（日本）と手を組んだりと頑張ったけれど、高句麗は強力で、やはり勝ち目はない。その後、中国は再統一されて新たな中華帝国ができました。それが隋・唐です。そこで新羅は唐に朝貢して臣下になります。

新羅は、高句麗・新羅・百済の中でいちばん小さな国で弱かったから、唐に助けてもらおうとしたわけです。

――百済はどう動いたのですか？

新羅と百済の間にも争いがありました。朝鮮半島の南部には加羅地方という鉄の産地があった。両国は、この加羅をめぐって常に争っていたのです。新羅が唐についたので、仕方なく百済は倭国と結びます。

この頃、倭国には百済から仏教が伝来します。これは、さまざまな先進文化を伝える代わりに、いざというときに助けてくれ、というメッセージなのです。

しかし勝負に勝ったのは唐と新羅の連合軍でした。百済は都を落とされて滅ぼされてしまいました。

このときに、新羅による支配をおもしろく思わない百済人たちはどうしたかというと、倭国へ逃げたんです。

――いまで言えば亡命、難民ですね。

そういうことです。数字はわかりませんが、おそらく数万人規模で難民が生まれたはずですね。百済の王子も倭国に亡命しています。当時の倭国政府は、これを丁重に迎えました。このような関係もあって、百済が再興を目指して倭国軍の支援を求めると、倭国はそれを引き受けてしまいます。

このとき倭国の政治を仕切っていたのが中大兄皇子（なかのおおえのおうじ）という人で、のちの天智（てんじ）天皇です。倭国プラス百済の残党の連合軍が出兵して、これを唐と新羅の連合軍が迎え撃った。これが歴史上初めての日中戦争、「白村江（はくそんこう／はくすきのえ）の戦い」（六六三）です。

――この戦いで日本は負けたんですよね。

はい、惨敗です。えーっと「日本軍」じゃなくて、倭国軍ですね（ここ重要）。その後、唐の軍勢が日本列島に攻めてくるらしいという噂が流れ、中大兄は厳戒態勢に入ります。西日本各地に城を築き、都が海のそばでは危ないというので琵琶湖のそばの大津に避難したのです。もちろん国交は断絶です。中大兄＝天智、天武、持統の三人の天皇は、この国家存亡の危機にあたって何をやったかというと、唐の官僚システムや法体系、いわゆる律令を導入して国を強化し、さらに軍備を増強したわけです。敵の唐のような中央集権的な国家を作ろうとしたのです。

百済復活は夢となり、亡命百済人たちは、そのまま日本の貴族になった例も少なくありません。『新撰姓氏録』という平安時代の貴族の名簿によれば、貴族の半分が渡来人系で、そのまた三分の一が百済系です。平安京（京都）を建設した桓武天皇のお母さんも百済系です。新羅系はほとんどいません。

そのあと四十年くらい間が開いて、遣唐使が再開されるのが七〇二年のこと。その遣唐使が唐で初めて、「われらは日本国の使いである」と名乗ったのです。

——それまでは「倭国」だったということですか。

そう、中華帝国がつけた呼び名を受け入れていた。国内ではずっと「ヤマト」なんですけど、対外的には「倭国」だった。それを「日本」と改称したのです。それから「天皇」という称号もこのあたりから使いはじめたと見られています。これも国内では「スメラミコト」と呼び、これに「天皇」という漢字をあてたわけです。明らかに、「皇帝」を意識した称号ですね。もはや皇帝の臣下ではない。対等である、と。

——そういえば、遣隋使も同じようなことをしてますよね。

「日出ずる処の天子、日没する処の天子に書を致す」っていうやつですね。

聖徳太子（厩戸王）が、隋の煬帝に送った手紙です。「天子」は皇帝と同じ意味です。隋の記録では、「東の皇帝が西の皇帝に手紙を送る、という手紙を見た煬帝は激怒した」と書かれています。中華思想から言えば無礼の極みです。しかし煬帝は高句麗遠征の準備中だったため、日本遠征ができなかったのです。

これと同じことを、白村江の戦いのあとにもやったのです。唐から見ればこれも無礼千万です。ところがこの頃また、旧高句麗領に渤海という強力な国がまた現れて唐を脅かします。唐の則天武后は渤海への対処で手一杯、海の向こうの倭人の無礼は放っておけということで、うやむやになった。結果、「日出ずる処」＝「日本」という国名が定着して、いまも使われることになったわけです。

――日本にとってはラッキーでしたね。

いや、高句麗や渤海についての正確な情報が日本にも入っていて、好機を逃さなかった、と考えるべきでしょう。当時の倭国政府の情報収集能力はたいしたものです。白村江の戦いの結果、それまで唐の臣下だった倭国が完全独立したと言えます。いわば日本独立戦争です。

そのあとも日本は遣唐使を送り続けますが、天皇は冊封を受けません。国書をやり取りする外交関係は持たず、文化人同士の交流のような微妙な関係を続けるのです。

――正式な国交はなかったということですか？

そうですね。その後、日中間で正式な国交が結ばれたのがいつかというと、室町時代です。足利将軍家が明と勘合貿易を始めたときです。

天皇家が中華皇帝と外交交渉関係を持つとなるとさらにあとで、明治になってからです。明治政府が清朝と国交を結んだ日清修好条規（一八七一）からです。これについては、またあとで説明します。

——どうして日本は中国の支配を受けず、微妙な距離感を保てたんでしょうか。

地理的要因でしょう。間に海があって、大陸からは容易に攻めこめない。朝鮮の歴史を見れば、大陸と地続きだとどれだけ怖いかがよくわかります。

「中華思想」という妄想を生み出した朱子学

中国に話を戻しましょう。秦、漢、隋、唐と続き、次の中華帝国が宋です。

この宋という国は中国史上もっとも弱かった王朝でした。北方から次々に襲来する騎馬民族に負け続けてボコボコにされたのです。

最初は契丹にいまの北京のあたりをとられ、次に金（女真）に敗れて黄河流域を失い、最後はモンゴルに征服されて江南も全部とられました。

モンゴルによって滅ぼされた江南の王朝を南宋と言います。最弱の王朝の中でも、とくに弱くなっていたのがこの南宋ですが、そこで生まれたのが「朱子学」という思想です。この朱子学を理解すると、今日の日韓関係の疑問も解けるのです。

――儒学の一派ですよね。

基本的に儒学なんですが、唐代までの儒学とはまったく違うもの、と考えたほうがいいでしょう。

唐代までの儒学というのは、国家をどうやって統治するかという政治学でした。だから、そんなに奥深い思想というものではなかった。

ところがその古い儒学が科挙制度によって形骸化していきます。役人志望の若者が、自分が就職するために一生懸命科挙のために五経を丸暗記するわけです。科挙の問題というのは、ある経典の一部分を示して、「この続きを書け」というようなものでした。つまり、丸暗記して、決まりきったことを書いておしまいです。

ですから、唐代の頃から丸暗記に飽き足らない、本当に優秀な学生は、ひそかに仏教、あるいは老荘思想などを学びはじめていました。

仏教や老荘思想というのは、そもそも人間とは何かとか、宇宙はどうやって始まったかとか、そういう哲学的な深い部分まで探究します。そういう宇宙哲学までも儒学に取りこんだのが朱子学です。南宋の朱熹（しゅき）という学者がまとめたので朱子学と呼ばれます。「朱先生の学問」という意味ですね。

では、朱子学とはどんな思想なのか。簡単に説明しましょう。

朱子学では、この宇宙を作っているものは「理と気」だと考えました。「気」は物質で、「理」というのはそこに働く運動法則です。天地万物はこの「理と気」からなっている。一方、人間は「性と情」からなっていると。「性」は理性です。これに対して、「情」というのは感情です。暑い、寒いとか、食欲、性欲といった肉体から発するエモーショナルなもの。肉体は物質ですから、物質（気）から発する感情（情）を、宇宙の法則（理）から発する理性（理）がコントロールして人になるというわけです。森羅万象（しんらばんしょう）について、理と気の割合によって上下関係、序列をつける。これが朱子学の大義名分論（たいぎめいぶん）です。

ただの物質である木や石には理性はありません。だから木石（ぼくせき）は、宇宙の秩序ではいちばん下等な存在です。その次が禽獣――鳥や動物です。犬や猫は、自分の意志で動きますが、理性ではなく、食欲や性欲などの情に支配されて生きています。

その上が人間です。人間の中にも序列があって、いちばん上が孔子や孟子のような「聖人」です。完全に理性だけに従っていて、感情をコントロールできた。

次の「君子」というのは、聖人を目指して頑張っている知識人、インテリ、科挙の受験生を指します。ちょっと情があるけれども、懸命に抑えこんでいる。

その下が「小人」といって、これは読み書きもできない、日々の生活に追われている一般庶民(農・工・商)ですが、彼らもちゃんと聖人の書を読んで理性を磨けば、君子になれないこともない。

さらに下の「夷狄」は、そもそも漢文が読めない異民族です。チベット人やモンゴル人や日本人。この連中は、二本足で歩く動物みたいなもの、と考えられました。上に昇れない。こういう序列があるわけです。

漢文を読み書きできるのが文明人――中華であるから、聖人・君子は中華だし、小人も頑張れば中華である。そこから下の夷狄や禽獣は同じようなもの、ケダモノである。だから文明人と野蛮人の区別(華夷の別)をはっきりしろ。夷狄が中華を支配してはならな

朱子学と華夷秩序
夷狄
モンゴル帝国
（大元ウルス）
高麗
日本
元寇
戦いには負けたが…
南宋
◎朱子学
・華夷の別
・大義名分論
朱子学の思想
宇宙
人間
理
（運動法則）
性
（理性）
気
（物質）
情
（感情）
華夷の別
聖人
君子
小人
⇧文明人
＝中華
⇩野蛮人
＝ケダモノ
夷狄
禽獣
木,石

い。これは宇宙の法則だから絶対である。

――ずいぶん差別的な思想ですね。

民族差別丸出しです。おもしろいのは、こういう思想が生まれたのが、中国がいちばん弱かった宋王朝だということ。コンプレックスの裏返しで、戦には負けたけれども、文明では勝っているんだということで自らを慰めるというわけです。あとでお話しするユダヤ教の選民思想とも共通する発想です。こうして苦しい言い逃れをしつつ、現実の南宋はモンゴルに圧倒されて滅んでいきます。

この間、朝鮮半島では、唐が滅んだ頃に新羅も倒れて、宋の時代には高麗という国が再統一しました。

高麗は朝鮮の歴代王朝の中でもっとも文化レベルが高かった国です。陶磁器の本場の中国人も称賛する高麗青磁ができたのもこのときですし、木版印刷の他、世界初の金属活字も発明されています。

しかし、高麗はモンゴルの侵攻を受けます。モンゴルの日本への侵攻は二回だけでしたが、高麗へは三十年間に六回も侵攻し、徹底的な破壊と略奪を繰り返しました。『高麗史』には、ある年のモンゴル侵攻について「捕虜として連れ去られた者二十万六千八百余人、殺戮された者は数えることもできない」と記されています。

高麗王は江華島という島に逃げこんで無事でしたが、人民がいなくなって王だけ残っても意味がない。高麗王は島を出て、モンゴルに対して臣従を誓います。

これ以後、高麗の王子が生まれると人質としてモンゴルへ送られ、モンゴル語を覚え、モンゴル風の辮髪をし、ハンの娘を后とする。高麗は事実上、モンゴル帝国の一部にされたわけです。そして、フビライ・ハンの娘と結婚した高麗の忠烈王がフビライの歓心を買うため、日本遠征を進言するのです。

――これが元寇ですね。

フビライは、高麗経由で日本に使者を送ります。「日本国王はなぜモンゴルに朝貢しないのか。われわれは武力を用いることは望まぬ。早く朝貢せよ」という脅迫文のような国書を送ってくるわけです。

日本側、当時の鎌倉幕府はこれを拒否。騎馬民族のモンゴルは海軍を持っていないので高麗に船を作らせ、高麗・モンゴル連合軍が北九州一帯を襲ったのが第一回の元寇（文永の役（えき））です。再び服属を求めて派遣されたモンゴルの使者を、鎌倉幕府が斬（き）ったため、激怒したフビライは再遠征（第二回元寇／弘安（こうあん）の役）を命じます。

この間、南宋が先にモンゴルに降伏したので、旧南宋軍も日本遠征に動員されます。失業した南宋の軍隊を放っておくと、反乱の恐れがある。これを全部日本へ送ってしまえ、というのが狙（ねら）いの一つでした。

しかし、日本の武士団が激しい抵抗を続け、台風の襲来にも助けられてモンゴル軍を撃退しました。こうして東アジアでは日本だけはモンゴルに征服されずに済んだわけです。モンゴルを撃退した国は他に、ベトナム、ジャワ、エジプトなど片手で数えるほどしかありません。

この元寇のすぐあとに、こんどは倭寇（わこう）が東アジアの海に出現するのです。

元寇から生まれた倭寇

――倭寇って、中国の沿岸を荒らしまわった日本人の海賊ですよね。

最初はそうですね。

日本はモンゴル軍を撃退しましたが、鎌倉幕府は領地が増えたわけでもなく、財政難に陥ってしまい、武士たちに十分な恩賞を与えられませんでした。これを不服とする侍たちが、鎌倉幕府の支配を脱してしまう。結果として、西日本一帯に幕府の統制を受けない武装集団がたくさん生まれました。これを「悪党」と言います。彼らの一部が、海賊化した。

一方、モンゴル帝国（元朝）でも漢人の大反乱（紅巾の乱）が発生、北京へコメを輸送していた海運業者たちも海賊化します。これらの武装集団が日本人と一緒になって、モンゴル帝国の属国と化した高麗を襲った。これが倭寇の始まりです。

――元寇が倭寇を生んだわけですね。

はい。倭寇は高麗だけでなく、モンゴル支配下の中国本土にも向かいました。略奪をしたり交易をしたり、東シナ海の海賊、武装商人団です。

フビライ・ハンが没したあと、江南では紅巾軍の指導者として頭角を現した貧農出身の朱元璋という人がいまの南京で独立を宣言して、明王朝を建てます。さらに朱元璋は北京を落とし、モンゴル人を長城の向こうに追い払いました。

このあと高麗でもクーデターが起こります。倭寇との戦いで名を上げた李成桂(りせいけい)という軍人が高麗王を殺して王位を奪います。李成桂は明に使いを送って朱元璋から冊封を受け、国名も与えられました。これが「朝鮮」という国名です。

もともと「朝鮮」とは、漢の武帝の遠征以前の国名で、古代朝鮮は漢民族が作ったという神話が『史記』にはある。もちろん、これは中国側の言い分ですけど。

——つまり、「朝鮮」は中華帝国の一部だ、と明は言いたいわけですね。

そのとおりです。これを李成桂は受け入れた。さらに、明朝が朱子学を科挙の科目にしたのを朝鮮がそのまま真似します。朱子学の中華思想を丸飲みしたわけです。

——朝鮮でも大義名分論、中華思想が採用されたと。

そうです。それまでの悪夢のようなモンゴル支配から脱するためには、どうしても必要だったのでしょうね。

するとどうなるか。中華を自称する明・朝鮮から見れば、モンゴル人も日本人も、漢文をまともに読めず、辮髪(べんぱつ)を結っている夷狄(いてき)です。ちょんまげも辮髪ですからね。「東の野

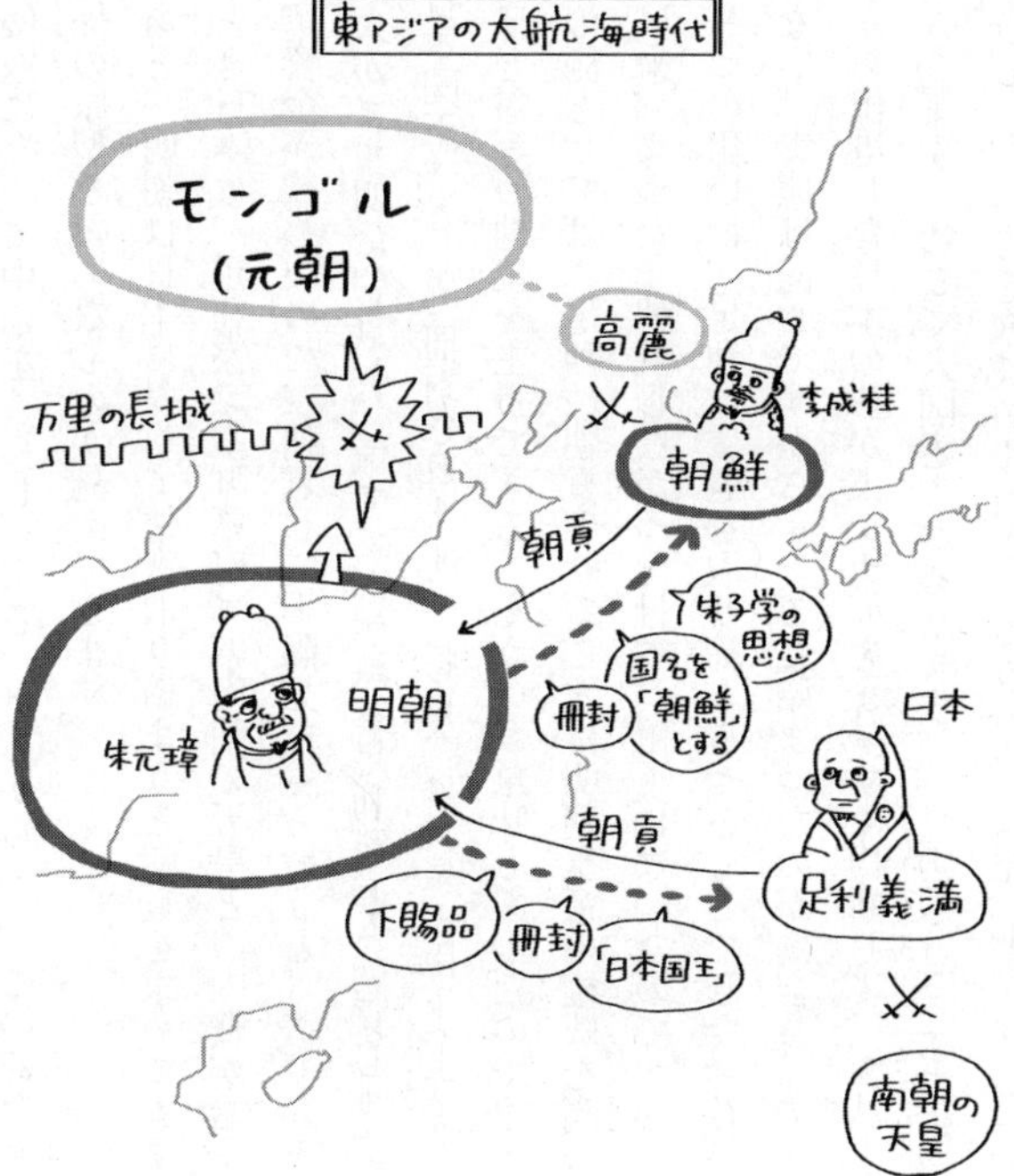
東アジアの大航海時代
モンゴル
（元朝）
高麗
李成桂
万里の長城
朝鮮
朝貢
朱子学の思想
国名を「朝鮮」とする
冊封
明朝
朱元璋
日本
朝貢
足利義満
下賜品
冊封
「日本国王」
南朝の天皇

蛮人が倭寇になって中華を荒らしに来る。けしからん」。このあたりから、いまの日中・日朝関係の原型みたいなものが見えてきます。

このあと、明朝は日本に対して倭寇取り締まりと朝貢を求めてきます。

このとき日本は、足利家（室町幕府）と南朝の天皇との内戦が始まっていました。双方ともに軍資金が欲しいので、朝貢して下賜品をもらおうと。後醍醐天皇の皇子の懐良親王という人がまず明に朝貢し、慌てて三代将軍足利義満も朝貢します。義満は明の皇帝から、「日本国王」として冊封されます。「将軍」は天皇の臣下ですが、「日本国王」となれば、天皇と対等の地位を主張できる。そういう意味もあったのです。

明朝の側としては、足利に朝貢させることは明朝皇帝の権威を高める効果があります。白村江以来、まったく朝貢しなかった日本が臣下になったのですから。

もう一つの狙いは、足利に倭寇を取り締まらせることでした。貿易商人と倭寇との区別がつかない。実態は同じですから。そこで始まったのが勘合貿易です。

博多から出港した日本の船が東シナ海をまっすぐ横断して、寧波という上海のすぐ近くの港に入ります。ここで入国審査があります。「日字勘合」、「本字勘合」と書いた紙を縦に二等分して、一方を寧波の役所が、もう一方を日本側が持っている。これが「勘合」

で、入国でこれがきちんと合わされば朝貢船として貿易を認めるというわけです。一方で、朝貢船以外の民間貿易を取り締まる。この政策を海禁と言います。

――ということは、朝貢のときしか明との貿易のチャンスがないんですね。

そうです。だから幕府の朝貢使節のあとを、博多や堺の商人がぞろぞろついていきます。彼らはだいたい日本からは銅や銀を持っていって、中国の安い絹を大量に買って戻ってきました。

ところが室町幕府の中でも、明に頭を下げることへの反発も出てきて、勘合貿易は長続きしませんでした。一方、明の側もお返しが大変なので「十年に一回でいい」と言い出します。

博多や堺の商人たちは来年も朝貢使節団についていって絹を買い付けようと思っていたのに、「次の朝貢は十年後だ」と言われてしまったわけです。

すると、海禁を無視して密貿易を行う輩が出てくる。こうして民間貿易が盛んになってしまうと、朝貢貿易が廃れてしまって明朝の面子を保てなくなる。だから明朝は海禁を強化して、密貿易商人を取り締まる。

明の商人からすれば、せっかく日本商人との密貿易で儲かっているのに邪魔されてはたまりません。なかには傭兵を雇って明の政府に抵抗する者も出てきます。

一方、日本の商人たちからすると、自分たちのお得意さんである明の商人が困っている。助っ人に行こうという動きが出てきます。室町時代というのは刀狩りの前なので、侍と商人の区別がはっきりしません。日本の商人も普通に刀を差しています。そんな武装商人が海を渡って、現地の密貿易商人と一緒に、明の政府の役人と戦った。これを後期倭寇と言います。

倭寇の実態は無国籍武装商人団

——後期倭寇は日本人ばかりではないということですか?

後期倭寇については、『明史』という明の公式記録に「真倭は一、二」とあります。倭寇が十人いたら本当の倭人（日本人）は一人、二人しかいないと。ということは、八割方がチャイニーズということです。日本の侍に憧れた明の密貿易商人が、ちょんまげを結って日本刀を差していたりする。もう、何がなんだかわからない（笑）。

ちょうどこの頃、ヨーロッパでは大航海時代を迎えています。アフリカの喜望峰を回ってポルトガル商人がアジアに入ってきます。ポルトガル国王が明に対して貿易を求めても、例によって明は「臣下の礼をとれ」という。ポルトガル国王はこれを拒否するので正式な国交は結べない。そこで密貿易が始まって、ポルトガル人が倭寇と一緒になって活動するようになります。

福建省あたりの海岸はリアス式で入り組んでいて、船を隠すには持ってこいなので密貿易の拠点があちこちにありました。そこには明の商人、日本の商人、ポルトガル商人が入り乱れて取引をしていました。

――「倭寇」の中にはヨーロッパ人も混じっていたんですね。

ヨーロッパ人だけではありません。

倭寇の拠点の一つを明軍が襲ったところ、黒人がいっぱいいてびっくりした、という記録もあります。ポルトガル人が奴隷として連れてきたアフリカ人たちです。

こうした、人種もさまざまな無国籍武装商人グループが後期倭寇だった。

――相当アナーキーですね。

映画にしたら絶対におもしろいでしょうね。

ついでに言うと、このの ち、種子島（たねがしま）に鉄砲を伝えたのもポルトガル人ですが、種子島に着いた船というのが、なぜかジャンクという中国船で、ポルトガル人二名と中国人が乗っていたのです。この中国人が筆談で通訳をしたのです。

――まさに後期倭寇の構成ですね。

日本史の教科書だと、たまたま流れ着いたみたいな印象ですが、そんなことはありません。彼らは明確に日本と交易をするために来た。彼らの目的は当時世界有数の産出量を誇っていた日本の銀です。しかも、当時の日本は戦国時代なので、外国商人から見れば無政府状態でいくらでも鉄砲が売れる市場です。もっとも、日本人はすぐに鉄砲をコピーして量産体制に入ってしまい、鉄砲隊を組織した織田信長が西日本を統一するわけです。

地方を荒廃させた両班（ヤンバン）、地方を開発した大名

先ほど、百済からの渡来人が日本に同化した話をしました。おそらく古代には、日本と朝鮮は文化的にもかなり近かった。平安・鎌倉時代の日本と高麗も、それほど違いはなかったと思います。

日本と朝鮮の道が大きく分かれるのは、李氏朝鮮（りしちょうせん）の時代からです。海に守られてモンゴル支配を免（まぬか）れた日本に対して、地続きの朝鮮半島はモンゴルに蹂躙（じゅうりん）された。韓国料理で大量の肉を使うのも、モンゴル時代の習慣の名残（なごり）です。モンゴル支配を脱した朝鮮王朝は、その反動で大義名分論の朱子学を採用した。そして、明にならって科挙で官僚を採用するようになりました。

科挙官僚のことを朝鮮では両班（ヤンバン）と言います。文班（文官）と武班（武官）がいて、官僚だけでなく軍人もテストで採用したのです。地位は文官のほうが上です。武官というのは肉体を使うので、朱子学の理気二元論で言うと地位が低いわけです。

科挙の試験問題は漢文です。朝鮮語の文法は日本語に近いので、漢文を覚えるのは難し

い。幼い頃から英才教育を受けたごく少数のエリートしか科挙は受けられない。これが両班です。

両班は読書に専念し、肉体労働を一切しません。彼らは体を使って働く庶民のことを蔑視しました。士農工商という言葉がありますね。あれはもともと朱子学の言葉です。「士」は、日本ではサムライですが、中国・朝鮮では知識人のことです。つまり両班は、知識人、文明人であると。これに対して漢文が読めない一般庶民は夷狄と同じです。

——異民族でなくて、朝鮮国内でも？

そうです。両班は庶民のことは犬猫扱いをしますので、結婚も両班同士でしかしない。科挙官僚の家同士で結婚し、生まれた子がまた科挙官僚になる。こうして新たな貴族が形成されていくことになります。世宗という立派な王様が、漢字を読めない庶民のために、ハングル（朝鮮文字）を制定しますが、両班がハングルの普及に猛反対して邪魔するのです。こんな恥ずかしい夷狄の文字は使えない、と。結局、ハングルの普及は二十世紀初頭の日本統治時代に行われました。韓国では「日本がハングルを奪った」と、教えていますが、歴史的事実は逆です。

さらに、李氏朝鮮では中央集権が進みました。高麗時代から続く地方の豪族はみな潰され、地方長官として中央から両班が派遣されます。

問題は、地方長官にとっては任地が自分の地元じゃないということ。四、五年そこにいて、またどこかへ転勤するわけですから、まったくその土地に対して愛着がない。だったらあとは野となれ山となれで、とにかく人民から搾り取って、私腹を肥やして、一部は王様に賄賂を贈って、出世をはかるということになります。

日本では、各地に「大名」と呼ばれる領主がいました。封建制です。領主は自分の領地を荒廃させてしまったら、自分の首を絞めることになる。だから水路を作ったり、開墾して新田を作ったりした。こういうことが朝鮮にはなかった。戦国から江戸期にかけて日本は地方でも開発が進みますが、同時期の朝鮮は、どんどん荒廃していくわけです。

もう一つ、朝鮮史の特徴というのは、両班の「党争」と呼ばれるすさまじい派閥抗争です。というのは、国が小さいから役人のポストの数が決まっている。誰かが死ぬか辞めないと、ポストが空きません。すると足の引っ張り合いが起こる。

――会社でもよくあることですね。

誹謗中傷合戦が起こるわけですね。同じ出身地や学閥のグループで固まって派閥を作って、ライバルの地域出身の官僚を徹底的にけなし、王様に密告します。もしも王様がこの密告に乗ってしまうと、讒言された一族は皆殺しになります。ポストが空くと、密告したほうの派閥がそこに入る。しばらく経つと、また別のグループがやってきて王様に讒言をする。これを延々と繰り返す。

こうした派閥抗争の激しさを物語るエピソードがあります。

豊臣秀吉が日本列島を関東から九州まで統一したあとで、調子に乗って明を攻めようとしました。ついては朝鮮を通るから案内しろと要求されたので、李氏朝鮮からは日本が何を考えているのか調べるために使節団が送りこまれます。

この使節団の中で派閥抗争があって、道中ずっと喧嘩をしている。大坂城で秀吉に会ったあとも、意見がまとまらずに「秀吉は危険」という報告書と「あんなサルのごとき人間は相手にするな」という報告書が作られます。

結局、王様は後者をとってしまい何も準備をしなかったので、秀吉に攻めこまれてあっという間にソウルは陥落することになります。豊臣秀吉の朝鮮出兵を彼らは「壬辰倭乱」と呼びます。「壬辰の年に起こった倭人どもの反乱」という意味です。

その後、徳川家が豊臣家を倒して政権をとりました。憎っくき豊臣家を倒した徳川は、朝鮮から見ると味方です。国交を開いて、徳川将軍が代替わりするたびにソウルから使節団を送ってくるようになりました。これを朝鮮通信使と言います。

もちろん、お祝いというのは表向きのことで、実は偵察です。また日本がおかしな気を起こさないかと警戒しているのです。

『日東壮遊歌(にっとうそうゆうか)』という朝鮮通信使の記録が残っています。これがまたおもしろい。

彼らはまず日本の豊かさにびっくりします。それで大坂、名古屋、江戸に来ると、「こんな大きな町は見たことがない」、「民家が二階建てで屋根に瓦(かわら)があるなんてありえない」と言って驚くんです。ソウルの民家は皆、平屋のカヤぶきでしたから。しかも、さんざん驚いたあとで「穢(けが)れた血を持つ獣（ケダモノ）のような人間が、こんなに豊かであるのはけしからん」と怒るのです（笑）。

――朱子学の枠組みは変わらないんですね。

たとえばちょんまげをした日本人の髪型、靴を履かないで草履(ぞうり)を履くといった格好も夷狄の証拠です。これをあざ笑う記録もいっぱいあります。サッカーの日韓戦で、韓国側サポーターがバナナの絵を掲げたり、選手がサルの真似(まね)をして問題になったりしたことがあります。「日本人はサル」という意識が、いまも残っているんです。

朝鮮の小中華思想が生まれた原因

一方、明朝は、秀吉との戦争による財政難、重税に起因する反乱でガタガタになり、またしても北方民族が台頭します。これが満州人の清朝です。

彼らはまず朝鮮に使いを送ってきて、かつて高麗がモンゴルにひれ伏したように、朝鮮も頭を下げろ、と要求します。二代目の王ホンタイジの即位式に招かれた朝鮮の使者二名は、三跪九叩頭(さんききゅうこうとう)という儀式をやれと言われた。三回跪(ひざまず)いて九回額(ひたい)を床にすりつけるというものです。

ところが、朝鮮の使いはこれを拒否します。「われらは大明皇帝にしか頭を下げない」というわけです。朱子学の本領発揮ですね。激怒したホンタイジは、翌年、自ら軍を率いて朝鮮に侵攻し、またしてもソウルは陥落します。朝鮮国王は引きずり出されて無理やり土下座をさせられ、今後は清に朝貢することを命じられたのです。これを朝鮮では「丙子(へいし)

の胡乱（こらん）」と呼びます。「胡」は野蛮人。「丙子の年に起こった野蛮人の反乱」という意味ですね。

秀吉にソウルを落とされたときもそうですが、困ったときは明朝に助けを求めるのが李氏朝鮮の常です。ところが、この直後に明は農民反乱で滅亡し、清朝が長城を突破して、中国本土を征服、辮髪令（べんぱつれい）を出したのです。

――辮髪って、三つ編みのような髪型ですよね。

そうです。満州人の習慣で、髪を剃るのですが、頭の後ろだけ長く伸ばし、それを編みます。辮髪令というのは、辮髪にした者は命を助けるが、従わない者は反逆者として首をはねる、という法令です。ほとんどの中国人はこれに従い、辮髪が広がっていった。つまり、中華が夷狄の風習を受け入れてしまったということです。

そこにやってきた朝鮮の使いは愕然（がくぜん）とします。

「なんだこれは、夷狄ではないか！」

ともかく、清が明を倒してしまった以上、朝鮮は明に頼ることができず、清を恐れて朝貢を繰り返します。でもそれは、表向きのことでした。彼らは考えました。

「確かに明は滅んだけれども、中華文明はわが朝鮮に残った」
だから朝鮮だけが世界で唯一の文明国である。国は小さいけども文明国だ。これを「小中華」思想と言います。

——一応、清朝からは冊封を受けるんですか？

はい。清朝の三百年間、朝鮮はずっと朝貢して北京で三跪九叩頭の礼をやるのです。でも使節は戻ってくると清朝のことをボロクソにけなす。「あのサルども！」というわけです。面従腹背ですね。そしてそのまま、朝鮮は近代を迎えます。

十九世紀になって欧米列強がアジアに進出し、アヘン戦争（一八四〇～四二）、ペリー来航（一八五三）といったショックの中で、日本の明治維新や、清朝の洋務運動といった近代化の動きが始まります。

ところが、朝鮮はまったく変わらなかった。なぜかというと、西洋は夷狄だから。中華が夷狄から学ぶことはないからです。こうして朱子学の思想は、朝鮮の近代化を著しく妨げることになります。

韓国、中国の「反日」の正体は何か

日本では、ヨーロッパ列強に対抗するためにはヨーロッパ列強のやり方を学ぶべし、という考えが広まります。ペリー来航を目撃した幕末の思想家・吉田松陰が早くから言っていたことです。まず強力な海軍を作り、ヨーロッパ列強が来る前に、日本から打って出て、北は満州、朝鮮、南は台湾までを領有すべしという国家戦略ですね。そしてこのプランに従って、明治維新を成し遂げた。国内では三百人もいた封建諸侯（大名）を廃止し、身分制も撤廃して天皇を君主とする国民国家を創設します。

もう一つ、日本が重視したのは「万国公法」、国際法です。敵である列強のルールをちゃんと学ぼう、ということです。

その国際法によると、国家というのは主権という最高権力を持っていて、誰にも頭を下げる必要はない。つまり、主権は絶対である。だから国家間には上下関係はない、大きな国も小さな国も対等である。この考え方を日本人は学んだわけです。

ですから当然、清朝皇帝と日本の天皇は対等であるべきです。明治維新のあと、日本政府は北京へ使者を出して、対等の国交を申し入れます。

――冊封体制という世界観とは真っ向から対立しますね。

ですから清朝は相当嫌がりました。ただ清朝もアヘン戦争、アロー戦争で英・仏に負けて弱体化していたので、しぶしぶこれを受け入れます。中華帝国が初めて日本と結んだ対等な条約、これが日清修好条規(じょうき)(一八七一)です。

次に日本政府は朝鮮にも使いを送って同じことを言いました。天皇は朝鮮国王との対等外交を結びたいと。どうなったと思いますか?

――「小中華」様から見れば、対等外交は受け入れられないでしょうね。

ええ、朝鮮はこれを拒否しました。そもそも、友好関係にあった徳川を倒したのがけしからん。また、天皇の称号がけしからん、というのです。「皇」は皇帝のことで、中華皇帝しか使ってはいけない字である。倭人ごときが「皇」とはなんだ。国書を書き直せ、と要求し、日本側がこれを拒否して、交渉は決裂します。

日本では、めんどうだから朝鮮は放っておけばいい、という意見もありました。しかし、朝鮮がもしもロシアやイギリスの支配下に落ちてしまった場合、日本の独立も危うくなります。だから早く朝鮮に目を覚まさせて近代化を促（うなが）さなくてはいけない。外交交渉が行き詰まったとき、軍艦を派遣して脅すのは、当時の国際常識です。

ソウルを流れている漢江（ハンガン）の河口に江華島（こうかとう）があって、そこは朝鮮の軍事拠点です。そこに日本軍艦が接近して、朝鮮側から先に撃たせて反撃し、江華島を占拠しました。江華島事件（一八七五）です。ソウルまで一直線の拠点を日本軍に占領されたため、朝鮮は折れて翌年に結んだのが日朝修好条規です。

この条約は、日本の治外法権を認めた不平等条約だ、という点だけが強調されますが、実は第一条で「朝鮮は自主の邦（くに）にして日本国と平等の権を保有せり」と明記しているのです。

江華島事件以降、朝鮮では清朝派の「事大党（じだいとう）」と、明治維新に学ぶべきだとする親日派の「開化派」との党争が激化します。閔妃（びんひ／ミンピ）というお妃を中心とする事大党政権が開化派を弾圧して独裁政権を確立しますが、官僚の腐敗と重税に反発して農民が立ち上がり「甲午（こうご）農民戦争」（一八九四）が起こります。事大党政権が清朝に援軍を求めると、日本人居留民の保護を名目に、日本も出兵します。

――日清戦争ですね。

はい。この戦争で日本が勝利したため、下関（しものせき）条約（一八九五）で清朝も朝鮮の独立を認めました。朝鮮でも開化派が政権を握り、両班の廃止、科挙の廃止、身分制の撤廃、奴隷解放を断行します。明治維新の朝鮮版で甲午（こうご）改革といいます。

事大党はロシアに接近しますが、日露戦争（一九〇四〜〇五）で再び日本が勝利した結果、韓国を保護国化し、伊藤博文（ひろぶみ）が統監としてソウルに派遣されます。そして、安重根（あんじゅうこん／アンジュウグン）による伊藤の暗殺をきっかけに、日本が韓国を併合する（一九一〇）ことになったわけです。

日本は日清戦争で台湾も併合し、第一次世界大戦（一九一四〜一八）ではドイツ領だった太平洋の島々（マーシャル諸島、パラオなど）も統治下に置きました。第二次世界大戦では、短い間でしたが東南アジア全域を統治しています。これらの国々が現在、きわめて親日的であるのに対し、韓国・朝鮮だけが極端な反日に傾いているのはなぜか？

――「朝鮮半島の支配だけが過酷だった」という説明では、苦しいですね。

おそらく韓国・朝鮮人の意識の根底には、いまだに「日本人は夷狄」だという考えがあるのだと思います。その差別意識を合理化するために、植民地支配や従軍慰安婦問題を持ち出して、日本を道徳的に糾弾し、叩頭させようとしているように見えます。

――なかなか反日思想の根は深いですね。中国の場合も同じですか？

中国はまた事情が違います。

清朝というのは満州人が長城を越えて中国本土を征服した国でしたね。中国本土に行く前にはモンゴル人たちも従えてますし、ダライ・ラマが治める宗教国家チベット、ウイグルのイスラム教徒までも支配下におさめ、完全な自治を認めていました。

アヘン戦争（一八四〇～四二）の敗北で清朝支配が揺らぐと、これを脱しようとしたのが漢人です。「中国」という言葉もこの頃から使いはじめました。「俺たちは何人なんだ」と考えたとき、満州人王朝の「清」を使うのはおかしい。そこで、「中華」という言葉を国名にしようと考えたわけです。

その中で出てきたのが中華民国を建国した孫文です。孫文の革命というのはもともと漢人が清朝から独立する、という話でした。その孫文は何度も日本に亡命して、日本人にかなり世話になっていたのでまったく反日ではありません。

辛亥革命（一九一一～一二）が成功して清朝が倒れると、同時にチベットやウイグル、外モンゴルも独立します。中華民国は、孫文が亡くなると各地方の軍隊がそれぞれ独立して軍閥となり、内戦状態になりました。このバラバラの中国に、列強が手を突っこんできます。ソ連がモンゴル、イギリスがチベット、日本が満州、というようにです。外国人排斥運動は起こりましたが、日本人だけがターゲットだったわけではありません。

こうした列強の勢力圏争いは第二次大戦まで続きました。

この戦争で大敗した日本は満州と中国本土から撤退し、力の空白ができたところに入ってきたのが毛沢東の中国共産党です。

中国共産党は、最初は小さな政党で力がなかったので、蔣介石の国民党と手を組んで日本に対抗したのです。日本軍を追っ払ったあとは本性を現して国民党に牙をむき、今度は蔣介石政権を台湾に追い出します。そして満州を併合し、内モンゴル、ウイグル、チベット……と、ソ連の保護下にある外モンゴル（モンゴル人民共和国）を除く清朝の領域を全部手に入れました。

ではこの毛沢東が反日かというと、これも違います。毛沢東の敵は、まず台湾を支援しているアメリカです。それから、取り逃した外モンゴルを支援するソ連です。

毛沢東は晩年に、ソ連・アメリカの両方と戦うのは無理と見て、アメリカに急接近しニクソン大統領の訪中（一九七二）を実現します。ベトナム戦争で手一杯だったアメリカもこれに乗り、米中接近が始まって日本もこれに追随します。自民党親中派の田中角栄首相が訪中して日中国交樹立を行います。

この当時、日本社会党の代表団が北京に行って日中戦争のことを謝罪すると、毛沢東は笑って答えたそうです。「いやいや、日本軍のお陰ですよ。日本軍が国民党を叩いてくれたから、共産党は内戦に勝てたんです」と。一言も謝罪とか賠償といった話はなかった。実際、毛沢東は日本に対する戦時賠償を放棄しています。

――意外ですね。すると、中国の反日はいつから始まったんでしょう。

毛沢東は外交の天才でしたが、経済政策がめちゃくちゃで多くの餓死者を出しました。毛沢東の後継者となった鄧小平は西側の資本主義を導入して経済を活性化しようとしました。この改革開放政策により、すさまじい経済成長が実現しましたが、それは広い中国の沿岸部だけの話です。内陸部はどんどん貧困化して、共産主義の建前だった平等がなくなってしまいました。

さらに、国営企業を民営化する過程で賄賂が横行し、官僚の腐敗が広がって人民の不満が高まった。それがついに爆発したのが天安門事件（一九八九）です。共産党の軍隊——人民解放軍が、人民に発砲して多くの犠牲者を出したのです。

あの事件以来、もう共産主義では国がまとまらないということに共産党政権は気づきます。それなら中華ナショナリズムでいこうと考えたのが、江沢民です。

共産党は列強の侵略から中国を守った偉大な民族主義政党である。その侵略というのはアヘン戦争に始まって日中戦争に終わった。最後にわが人民を苦しめた日本に対してわが共産党はどう戦ったのか、それを人民に徹底的に教育せよと。この愛国教育の成果が表れ、反日デモが起こるようになるのは、二十一世紀になってからです。

もともと多民族国家で、しかも漢民族も地方ごとに言葉が通じない。元を辿れば自分の血縁集団以外はみんな敵、という文化がある。「中国人はバラバラの砂である」と孫文が言っています。

日本人が日本人であることは、日本人にとって自明の理ですが、中国人はたぶん違います。学校で教わらないと、中国人意識は生まれない。そして、中国人であると意識するためには、その外に敵が必要です。

そこで敵と認定されたのが、冷戦期にはアメリカでありソ連だった。それがいまでは日本になった。これが中国の「反日」の正体だということでしょうね。

［第2章］

一神教を理解する

ユダヤ教は虐(しいた)げられた民族の怨念

日本人が中東情勢をなかなか理解できないのは、日本文化に一神教の影響がないからです。

――神様が一人しかいない宗教ですね？

そうです。逆に、神様がたくさんいる宗教を多神教と言います。インド・東南アジアの仏教やヒンドゥー教、中国の道教、そして八百万(やおよろず)の神々を祀(まつ)る日本の神道(しんとう)がそうです。ギリシア・ローマ時代のヨーロッパも多神教でしたが、キリスト教によって根絶されてしまいました。

現在、世界の人口七十億人のうち、キリスト教徒が二十三億人（三三%）、イスラム教徒が十五億人（二一%）、合わせて三十八億人（五四%）が一神教徒です。イスラム教徒はものすごい勢いで増えていますので、いずれキリスト教徒を追い抜くでしょう。

実は、キリスト教とイスラム教というのは兄弟なんです。同じ神を祀っている……。

——待ってください！　キリストとアッラー、別の神じゃないんですか？

いやいや、キリストとアッラーは同じ神なんです。この講義でくわしく説明します。

さて、兄弟ということは、共通のお父さんがいるはずでしょう。そのお父さんがユダヤ教です。ということは、ユダヤ教がわからないと、実はキリスト教もイスラム教もわからない。まず、この話からしていきましょう。

ユダヤ人というのは、中東を彷徨っていた少数民族です。常に弱くて、常にいじめられていた。強大な民族によって奴隷にされたり、殺されたりしていたわけです。

ある時代には、エジプトに捕らえられて奴隷として使われていました。あまりの苦しさに耐えかねて立ち上がったユダヤ人は、モーセという指導者に率いられてエジプトから逃げたという話があります。「出エジプト」という話ですね。後ろからエジプト軍に追われ、前には紅海が広がっていて絶体絶命……というとき、モーセが杖を振り上げると海がザアーッと割れて道ができ、ユダヤ人は無事に対岸に逃げ、また海が閉じてエジプト軍を呑みこんだ、という有名な話。

戦後の日本の教育では「神話は歴史ではない」と軽んじてきましたが、神話というのは、歴史的事実かどうかは問題ではありません。その物語が伝える価値観を知ることが重要なのです。

もう一つは新バビロニアという国に五十年間にわたって捕まっていた「バビロン捕囚」という話。ペルシアが新バビロニアを滅ぼしたので、ようやく解放されます。

こういう苦難の歴史が、ユダヤ人にはずっと語り継がれている。

「なんで俺たちはこんなに苦しい目に遭うのか。それは神に選ばれたからだ。神が与えた試練なのだ」と彼らは考えた。この試練に耐えれば、神はわれわれユダヤ人だけを救い、異民族をすべて滅ぼすのだと。これがユダヤ教独特の「選民思想」です。

こうしたユダヤ人の物語は、『旧約聖書』という本に書かれています。こんな話もあります。

先ほどの「出エジプト」の途中で指導者モーセが、エジプトのシナイ半島で神と出会ったという話です。このときモーセと契約を交わした神が、唯一の神ヤハウェです。

シナイ山は砂漠にそびえる岩山です。そのてっぺんが雲に覆われていて、中で雷鳴が轟いていた。モーセは見上げて「神が呼んでいる」、「誰もついてくるな」と一人で登っていきます。そして長い間戻らなかった。

そして、山から戻ってきたときに大きな石板（タブレット）をモーセは持っていた。そこに文字が刻んであり、十箇条の掟（おきて）が書いてあった。

モーセは、これを掲げて「見よ、これが神自ら刻んだ文字だ」と言ったのです。

これを「モーセの十戒（じっかい）」と言います。

——それって、モーセが自分で刻んだんじゃないんですか？

まあ実際には、誰も見ていないので、誰が刻んだのかはわかりませんね……。それはさておき、この十戒の中身は、「神は一人」、「神の名を唱えるな」、「偶像を祀るな」、「父母を大事にしろ」、「殺すな」、「盗むな」……といった十のルールです。これを守った者が救われるというのです。

しかも『旧約聖書』ではそのあと何十ページにもわたって、神がお告げをします。あれもするな、これもするな、あれもするな、これもするな……と細かい決まりを与えるのです。

たとえば食べ物の決まり。「蹄（ひづめ）が割れていなくて反芻（はんすう）をする動物は食べていい」というのです。たとえば牛ですね。胃袋がいくつもあって、いったん食べた草をまた口へ戻して、また噛んで、また飲み込む。これを反芻と言いますが、反芻する動物は食べてよいと。逆に、蹄が割れていても、反芻をしない動物、イノシシや豚は食べるなというのです。

――どうしてですか？

「神が定めたから」です。

こんなふうに、ユダヤ教には生活のありとあらゆることを神が定めた掟がある。これを「律法」と言います。ユダヤ人として生まれても、律法を守らない者は救われないのです。

律法では安息日というものも決められています。唯一の神ヤハウェが六日間で世界を作って、七日目に休まれたので、人間も六日間は働いて七日目には休まなくてはいけない。これは絶対命令です。ユダヤ教では安息日は土曜日です。土曜日に働いたらどうなると思いますか？

――何か罰を受けるんですか？

律法では、「死刑」ということになっています。すごいでしょう。

これだけ厳しい律法を守れば、どんな恩恵を神から与えられるのか。これが二つあります。

一つは、救世主が現れるということ。他の民族にいじめられたときに、ユダヤ人を救う英雄が現れ、彼はユダヤ人の王となって敵を倒すというのです。

この救世主を「メシア」と言います。

「メシア」はユダヤ人の言葉（ヘブライ語）です。ギリシア語で言うと「キリスト」です。ユダヤ教ではメシア＝キリストは何人もいます。実在したユダヤの王であるダヴィデ王やソロモン王も、メシアと呼ばれました。

もう一つが「最後の審判」です。世界には「始まりと終わり」があって、その世界の終わりは迫っている。そのときに何が起こるかというと、唯一の神ヤハウェが姿をお現しになって全人類を裁きにかけます。律法を守った者は天国に導き、異教徒は地獄に落とすというのです。

これに期待して頑張る、というのがユダヤ教です。

こののちユダヤ人は、ギリシアのアレクサンドロスに征服され、最後にはローマに征服されますが、国が滅びても民族は滅びない。ある土地を追放されても、別の土地にコロニーを作って生き延びる。しかも「われわれは選ばれた民である」という上から目線で、異民族とは融和しない。だから逆に嫌われる。

これが、ユダヤ人差別の源泉となってしまったわけです。

イエス・キリストは、キリスト教徒ではなかった

ユダヤ人がローマに征服されたのは紀元前一世紀です。ローマの英雄カエサル（シーザー）が活躍した時代ですね。

その後、ローマの属州（植民地）になってからも、ユダヤ人は抵抗し続けます。

紀元後一世紀、第二代ローマ皇帝のティベリウスのときに事件が起きました。イエスという人物が、「ローマに対する反逆者」として処刑されたのです。

――イエスはユダヤ人だったんですか？

ユダヤ人の大工さんの家に生まれたんです。この大工さんの息子が、ある日、砂漠に行

って、戻ってきたら説教を始めた。「神の国は近づいた。悔い改めよ」と。

これを聞いたユダヤ人は、「ついに最後の審判が来るのか」と期待して集まってきます。

ところが、イエスはそこで衝撃的なことを言います。「律法には意味がない」と。豚を食うか食わないか、安息日に休むか休まないか、そんなことはどうでもいい、と言ったのです。

ユダヤ教の律法は生活のすみずみまで厳しく律していましたが、実際のユダヤ人の多くは本当に貧しくて、たとえば手に入った肉はみんな食べていました。土曜日にローマ人に雇われていた人たちもいっぱいいました。

その人たちが「私たちは救われませんか？」と問うと、イエスは「いや、おまえたちは救われる。神を信ずれば」と答えた。

つまり、律法という形式ではなくて心——信仰によって人は救われるとイエスは言ったわけです。

そのため、貧しいユダヤ人の中でイエスの支持者がどんどん増えていきました。

そこで危機感を持ったのが正統派ユダヤ教徒です。律法を否定するということは、選民思想の否定につながるからです。

信仰だけが重要ならば、神を信じればユダヤ人じゃなくても救われることになるでしょう。実際、イエスは「異邦人でも救われる」と言ったのです。

つまりイエスは、閉鎖的な民族宗教だったユダヤ教を、国境を超えた世界宗教にしてしまった、ということです。

この結果、正統派ユダヤ教徒から敵視され、告発されたイエスは捕まります。当時のユダヤはローマの属州でしたから、裁判権を持っているのはローマ人の総督です。ユダヤ教徒たちはイエスをローマ人の総督に訴えたわけです。

――でもローマ人から見れば、ユダヤ人同士の争いですよね？

関係ないですよね。そこで正統派ユダヤ教徒たちは、「イエスは民衆を扇動してローマに対する反逆を企（くわだ）てた」と訴えたのです。ローマ総督はそれで納得して、イエスを死刑にします。

ローマのもっとも重い刑は磔（はりつけ）です。十字架に両手両足を釘で打ちつけ、ゆっくり殺すという刑罰ですね。こうしてイエスが磔に処されたのが一世紀の前半です。

ところが、そのあとで不思議なことが起こります。

イエスが処刑された日は金曜日でした（だからキリスト教徒は金曜日を不吉とします）。ということは翌日が土曜日なので安息日です。安息日はお葬式もできません。お母さんのマリアは、十字架から下ろされた息子の遺体を抱きかかえて途方に暮れていました。

それを見たある金持ちのユダヤ人が憐れんで、「うちの墓が空いているから息子さんを預かりますよ」と言って遺体を預かってくれた。岩をくりぬいた横穴式の墓です。

そして、週が明けた日曜日にお葬式をしようと家族が集まったら、墓の扉が開いていて、中が空っぽになっていたというのです。

さらに、イエスが捕まったときに逃げていた弟子たちがなぜかまた集まってきた。危険を覚悟で一人、また一人と戻ってきたわけです。

その弟子たちは口々に「あのあとでイエスと話をした」と言う。あのあとというのは、イエス処刑のあとです。

ここから「イエスの復活」という話が生まれました。

死んだはずなのに復活したということは、イエスはなんだったんだという話になって、そこで「イエスはメシアだったんだ」、ギリシア語で言うと「キリスト」だったと言われはじめた。そこからだんだん話が大きくなって「いや、イエスは神だったんだ」ということになる。

こうして生まれたのがキリスト教です。

イエス自身はユダヤ教の改革者で、自分のことを神だなんて一言も言っていません。ペテロやパウロといった弟子たちが、イエスを神として祭り上げたのです。イエスはメシアでもなければ神でもない、というのがユダヤ教の考え方です。ここがユダヤ教とキリスト教が対立する最大の理由です。

ちなみに、聖書に二種類あるのを知っていますか？

――『旧約聖書』と『新約聖書』ですね。

そうです。ユダヤ人の神話と歴史をまとめたのが『旧約聖書』。ユダヤ教徒はこれしか読みませんのでただの『聖書』と呼びます。イエスの一生を、弟子たちがまとめたのが『新約聖書』です。キリスト教は、『旧約聖書』と『新約聖書』と両方読むということですね。

その後、ユダヤ教はユダヤ人の間にしか広がらなかったけれども、キリスト教は、ローマ人に広がっていきます。イエスが民族の垣根をとっぱらったからですね。

――ローマ帝国は、キリスト教をどう考えたんですか？

ローマ帝国は多神教でした。無数の神殿があり、無数の神々が祀られていました。また、皇帝を「生ける神」として崇拝する皇帝崇拝も行われました。これらを一切認めないキリスト教徒は、すさまじい迫害を受けました。

ところが、いくら迫害してもキリスト教徒は増えます。彼らは死を恐れないからです。信仰を守って死ぬ――殉教すれば天国に昇れるわけですから。

結局、ローマ帝国は迫害をあきらめます。逆に、死をも恐れぬキリスト教徒を皇帝権力の支えにしようと考えた皇帝コンスタンティヌス一世は、キリスト教を公認しました。これをミラノ勅令（三一三）と言います。その後、テオドシウス帝がキリスト教を国教とし、ギリシアから受け継いだ多神教を禁止します。

ローマ帝国の滅亡後、そのあとに生まれたヨーロッパ各国もキリスト教を受け継ぎます。各国の王様たちは、神から王権を与えられた、という考えを持つのです。

一方、ユダヤ教徒は、イエスの死後二度にわたって大反乱を起こして敗北し、ローマ軍が攻めこんできて都のエルサレムを破壊されました。ハドリアヌス帝は激怒し、ユダヤ人はエルサレム市に立ち入りを禁じられ、各地に離散します。これを「ディアスポラ」と言います。

こうして各地に散らばったユダヤ人は、キリスト教徒やイスラム教徒の支配を受けながら、彼らの信仰を二千年間も守り続け、二十世紀になってイスラエルという国を再建するわけです。すさまじい執念だと思います。

最後の預言者ムハンマド

イエスが亡くなってから六百年が過ぎ、すでにローマ帝国は東西に分裂していました。中国の歴代王朝と同じで、あまりにも国が大きくなりすぎて、軍事費が膨らんで重税になり、国が衰える。軍隊が維持できなくなったところに異民族が入ってくるというパターンです。

ギリシアに成立した東ローマ帝国は、その後も長く生きながらえますが、西ローマ帝国の北半分は、北方から入ってきたゲルマン人に占領されました。ドイツ人やオランダ人やイギリス人の先祖です。そして、南からはアラブ人が侵入してきます。

アラブ人は、ちょうど「隙間（すきま）」にいた民族です。東ローマ帝国の東側には、イランがあります。当時はササン朝ペルシアという王朝です。中国とローマ帝国をつなぐ中継貿易で繁栄してきました。イランと欧米はいまでも仲が悪いですが、ササン朝ペルシアとローマ帝国も何十回と戦っています。イラク・シリアのあたりが戦場になるわけです。戦争のたびに通交が遮断されると……。

――貿易ができなくなりますね。

そう、貿易ルートが止まってしまうわけですね。

そこで、新たな交易ルートが生まれます。船でアラビア半島南端のイエメンに到達し、そこからラクダでアラビア半島の西部を北上して、地中海へ抜けるルートです。この結果、中継地点となったアラビア半島のオアシス都市が経済発展することになります。

ですから、アラブ人（アラビア人とは言いません）というのは商業民族で、中継貿易で栄えた民族でした。「砂漠の船」と呼ばれるラクダを連ねて隊商（キャラバン）を組織します。

さて、もともとアラブというのは一個の国ではありません。たくさんの部族に分かれていて、お互いに争っていました。部族ごとに違う神々を拝んでいた。バラバラだったんですね。

イスラム教の開祖ムハンマド（マホメット）が生まれたアラビアは、そんな世界でした。

ムハンマドは大都市メッカの商人の出身です。お父さんを早く亡くして、おじさんに教育を受け、子供の頃からキャラバン貿易に従事していました。

四十歳頃に突然商売をやめて、砂漠の岩山、ヒラー山という山に籠もります。やがてメッカに下りてきて説教を始めます。

——モーセもイエスも似たような感じでしたよね。

そうですね。砂漠で暮らすと何か感じるんでしょう。

私も経験がありますが、砂漠で夜空を見上げると、ちょっと恐怖を感じますね。すごい星で。自然に対する底知れない恐怖心みたいなものは、やっぱり砂漠に行かないとわからない。

おそらく、あらゆる宗教の起源は、自然に対する「おそれ」だと思います。日本とかインドのような穏やかな森林地帯と、見渡す限りの砂漠地帯とでは、違う宗教が生まれるのも当然でしょう。ユダヤ教、キリスト教、イスラム教が砂漠に生まれたというのは、大事なことでしょうね。

さて、山から下りてきたムハンマドが言ったのはこういうことです。

われわれがこれまで祀っていた神は神ではない。本当の神は一人である。そしてこの神の名前はむやみに口にしてはいけない。これはモーセの十戒にちゃんと書いてあると。

確かにそのとおりで、本当はユダヤ教徒もキリスト教徒も「ヤハウェ」という神の名は言ってはいけないことになっています。ただ「神様」と言うわけです。

アラビア語で神のことを「アッラー」と言います。アラブには部族ごとに異なった「アッラー」がいたわけです。しかしムハンマドは、アッラーは一人しかいないんだと言ったのです。

また、われわれ人間は愚かだからアッラーのお言葉をじかに聞くことはできない。ときどき優れた超能力者が現れて、そのアッラーのお言葉を聞いて、人々に伝える。これを預言者と言うと。だから「預」言者、神の言葉を預かる人というわけですね。

ユダヤ人の指導者モーセも預言者であったし、イエスも預言者だった。モーセが語ったアッラーの言葉は『旧約聖書』にまとめられ、イエスが語ったアッラーの言葉は『新約聖書』にまとめられた。しかし、アッラーはまだ語り終えてはいなかった。愚かな人類はイエスを処刑してしまい、その後もアッラーの言葉に耳を貸さない。アッラーはついに最後の預言者を選んだ、それが私、ムハンマドである、ということです。

ムハンマドが語ったアッラーの言葉をまとめたのが『コーラン』です。

――ようやくキリスト教とイスラム教が兄弟だということがわかってきました。

そうです。イスラム教徒は『コーラン』の他に『旧約聖書』も『新約聖書』も重んじます。

ムハンマドは商人時代に東ローマとの貿易をやっていた。メッカからずっと北に行くと、エルサレムがあります。ムハンマドはユダヤ人との付き合いがあって、ユダヤ教やキリスト教を学んでいたのでしょう。

ムハンマドが生まれ育ったメッカは、多神教の時代からすでにアラブ人共通の聖地でした。ここには「カーバ神殿」という立方体の神殿があります。アラブ人の各部族は自分たちの神々の像を、カーバに持ち寄って祀っていたんです。日本で言うと、伊勢(いせ)神宮みたいなところですね。

ところがムハンマドは、「カーバ神殿の偶像を全部破壊しろ」、と言い出したのです。メッカの住民たちは「おまえ、気でも狂ったのか」と言って、ムハンマドを町から追放します。

追放されたムハンマドは、家族を連れて北のメディナというところに逃げます。このメディナの人たちは彼の言うことを信じてくれたので、彼はこの町で本格的な布教を始めます。

キリスト教暦ではイエスの生誕を元年としますが、イスラム暦では預言者ムハンマドがメディナに移って本格的な布教を始めた年を元年とします。西暦で言うと六二二年です。

ムハンマドの信者はどんどん増えていって、ついに一万人に達します。

そこでムハンマドは「これからメッカを攻める」と言って、イスラム軍を率いて聖地メッカを攻撃します。そして、ついにカーバ神殿に祀ってあった神々を破壊しつくしました。

神々の偶像が破壊されたあとの神殿は、当然空っぽです。ムハンマドはその空っぽの空間に向かって祈れと言いました。

『旧約聖書』のモーセの十戒の中には、「偶像を祀ってはならない」という規定がありました。神の姿を絵や彫刻にして祀ってはいけないということです。ムハンマドはそれを忠実に守ったわけです。

——モーセの十戒のルール、ということは、ユダヤ教でも偶像は禁止ですか。

そうです。ユダヤ教の神殿はシナゴーグと言うんですが、そこにはなんにもないんです。あるのはユダヤ教の象徴であるダヴィデの星、あるいは七つに枝分かれした燭台だけですね。

これに対してキリスト教は、偶像についてはゆるい。最初のキリスト教にも偶像はなかったのですが、ローマ帝国にキリスト教が広まる過程で、ギリシア以来の多神教——ゼウス神とか、アポロン神——と偶像崇拝の伝統と妥協し、イエスやマリア、お弟子さんのペテロやパウロの像を描くようになっていったわけです。

ちなみに、インドの仏教にも最初は偶像がなかったのですが、アレクサンドロス大王の遠征に従って北インドに移住したギリシア系の人たちが、ギリシア風の仏像を作りはじめたのです。これをガンダーラ美術と言います。これと同じことが、キリスト教でも起こったわけです。

キリスト教とイスラム教がもめる理由の一つは、この偶像の問題です。

もう一つは、キリスト教はイエスを「神」と呼ぶこと。イスラム教からすると、けしからん話です。「アッラーは一人。預言者にすぎないイエスを神と呼ぶとはなんだ」ということですね。

一方、キリスト教徒がイスラム教徒に対していまでも持っているイメージが、暴力の肯定と女性蔑視です。

確かに、ムハンマドは信者に対して「剣をとれ、敵を倒せ」と言っています。一方イエスは、「もしあなたが右の頰を打たれたら、左の頰を出しなさい」と言いました。両者は対照的に見えますね。

ただ、これには理由があります。バラバラだったアラブ諸部族を一つにまとめたのがムハンマドです。アラブ人同士が殺し合っているときに、愛を説いてもどうにもなりません。とりあえず剣で身を守り、家族を守り、教団を守っていくんだということです。教団を守るための戦いがジハード（聖戦）です。

そもそもムハンマドをただの宗教指導者と考えるのが間違いなのです。彼はアラブを統一した軍事指導者であり、アラブ帝国の建国者だったのです。

イエスは確かに愛を説いていますが、彼にはローマ帝国をまとめるという仕事はなかった。別にローマ皇帝がいたからです。イエスの仕事は、もっぱら魂を救うことだった。ここがムハンマドとの違いです。

このイスラムにおける「政治と宗教の一体化」というのは、大事なポイントです。現代までつながる問題ですので、頭の隅に置いておいてください。

次に女性蔑視の話ですが、たとえばイスラム教のどんなところが女性蔑視だと思いますか？

――一夫多妻制、でしょうか。奥さんが何人もいてもいいという。

確かに、ムハンマドには複数の妻がいましたし、「四人まで妻を持ってよい」と言っています。それから女性は顔を隠せと。コーランには「女性は美しいところを隠せ」と書かれています。

これはどういうことかというと、当時アラブでは戦乱が続いて男がどんどん死に、子供を抱えて道端で物乞いをするような女性がいっぱいいた。男たちは、こうした戦争未亡人たちを引き取ってやれという意味なんです。一種の社会福祉ですね。しかも、無制限はダメで四人までにしなさいということです。

顔を隠すのは、男たちの好奇の視線から、彼女たちを守るためだったのです。

カリフとイマーム――ムハンマドの後継者争い

ムハンマドは単なる宗教指導者ではなく王様でもありました。

そこで、誰が「王位」を継承するか、という後継者問題が起こります。

ムハンマドは息子を幼くして亡くしています。他にファーティマという娘がいました。でも、この娘に継がせることができるのかというと、まだアラブがまとまったばかりで裏切り者がたくさんいる、敵のローマ軍も強大で、という現状では不安です。

そこで、奥さんのお父さん、義理のお父さんであるアブー・バクル、そして別の奥さんのお父さんであるウマルといった、アラブの長老たちに跡を継がせることになります。最初がアブー・バクル、次がウマル、三代目がウスマーンです。

このムハンマドの後継者たちのことを「カリフ」と言います。

とくに優秀だったのが二代目のウマルという人で、ササン朝ペルシアを滅ぼしたのはこの人です。いまのイランの広大な領域が、イスラム化したのは、このときですね。それまでのイラン人は、ゾロアスター教という多神教を信仰していました。

アラブは東ローマ軍に対しても大勝利を収め、エジプト、シリアを征服します。アラブ帝国の基礎を築いたのがこのウマルです。

ただし、ローマはまだ滅んではいません。東ローマ帝国がまだ健在です。

アラブ国家はもともとのアラビア半島に加えてイラン、シリア、それからエジプトまでを併合しました。すると、東ローマとの最前線はシリアになります。

ですからアラブは、常にここに大軍を置いておくことになる。このシリアの総督として軍隊の指揮をとったのがウマイヤ家です。

軍隊を掌握したウマイヤ家は、都メディナのハーシム家（ムハンマドの一族）よりも力を持つようになります。やがてウマイヤ家からカリフが出るようになりました。

そして、問題になったのが四代目カリフです。実力者のウマイヤ家から出すのか、家柄のよいハーシム家（ムハンマド一族）から出すのかでもめた。選挙の結果、ハーシム家のアリーという人が選ばれます。

アリーはムハンマドの従弟（いとこ）にあたる人です。ムハンマドを育てたおじさんの息子ですね。ですから実際には、ムハンマドとアリーは同じ家で育った兄弟みたいなものでした。

それだけでなく、ムハンマドは娘のファーティマをアリーに嫁がせて娘婿（むすめむこ）にしています。ムハンマドがどれだけこのアリーという若者を大事にしていたかというのがわかるでしょう。

ところが、この期待を集めていたアリーさんが暗殺されてしまいます。

――対立するウマイヤ家が暗殺したわけですか。

ではないんです。アリーは非常に穏やかな人だったので、ハーシム家とウマイヤ家との対立で妥協をはかった。これに怒ったアリーの支持者の中の過激派がアリーを殺してしまったのです。

アリーの支持者が暴走した結果、皮肉なことに次のカリフはウマイヤ家に移ります。

五代カリフとなったウマイヤ家のムアーウィヤは、カリフの位をめぐる争いはもうやめようと考えました。なぜもめるのか？　選挙をするからだ。だからもう選挙はやめる。われらウマイヤ家が子々孫々、カリフを世襲しよう、と言い出します。こうして始まったのがウマイヤ朝です。これでうまくいくと思いますか？

――いや、ハーシム家からしたら「ふざけるな！」という話でしょう。

ですよね。世襲はいいけど、なぜそれがウマイヤ家なのかと。そこで、殺されたアリーの息子のフサインという人が、「ウマイヤ朝打倒！」を叫んで、ついに内戦が始まります。カルバラーというところで、わずか数十人しかいなかったフサインの一行を、数万のウマイヤ家が襲って皆殺しにしてしまいます。

ということで、ムハンマドの娘ファーティマと、ムハンマドの従弟であるアリーの血を引く一族はみな悲惨な目に遭うわけですが、それでも生き残ります。ウマイヤ家からずっと逃げまわりながら「われわれこそが真のムハンマドの後継者だ」と言い続けるのです。

このファミリーの支持者こそが、いまでもイスラム教徒の中で少数派となっているシーア派です。シーアとは「党」のこと、もともと「アリー党」というので、そこからシーア派になったんですね。イスラム教徒の約一〇％がシーア派です。

シーア派は、カリフという呼称は使いません。「指導者」という意味で「イマーム」と言います。初代イマームは暗殺されたアリーで、直系子孫が十二代まで続きます。

これに対して、アブー・バクルに始まるすべてのカリフを認める多数派をスンナ派と言います。カリフは「後継者」という意味です。ウマイヤ朝の次は、アッバース朝になります。

アリーだけは、スンナ派にとっては四代カリフであり、シーア派にとっては初代イマームでもある、という特別な存在になります。

シーア派は血統を重視するのが特徴です。預言者ムハンマドというのは一種の超能力者であり、アッラーの声を聞く力があったと彼らは考えます。その能力は、ムハンマド直系のアリーの一族しか持っていない。だから他のファミリーはイマームにはなれない、という考えです。アリーはムハンマドの娘婿ですけど、兄弟のように育ったので、ムハンマドと同様の能力を身につけていた、と考えます。

――スンナ派は、どういう理屈ですか？

「スンナ」という言葉ですが、これは慣行、慣習という意味です。

たとえば『コーラン』という聖典がありますね。これは神、アッラーのお言葉です。神の言葉ですから、非常に断片的で何を言っているのかわからないところもある。たとえば「酒を飲むな」というのがアッラーのお言葉です。では、酒場に行くのもダメなのか、酒場に行ってお茶は飲んでもいいのか。薄い水割りはいいのか……とか、解釈の余地がある。

そこで、神の言葉についてムハンマドが説明をしたり、実際の行動で解釈を示したりした。それがイスラム教徒の慣習になっていったものを「スンナ」と言うのです。新聞などで「スンニ派」とも表記しますが、「スンナに従う者」が「スンニ」です。まあ、どっちでもいいでしょう。

『コーラン』とスンナに従う正しきイスラム教徒であれば、たとえムハンマド直系の子孫でなくてもカリフになれるはずだ。これがスンナ派の考えです。

――合理的な考え方ですね。

そう。シーア派のほうが神秘的です。そしてシーア派が、ここからさらに分かれるんです。

スンナ派政権から見れば、シーア派のイマームはお尋ね者ですから、絶えず迫害されて逃げまわることになります。戦死、暗殺、行方不明と、ほとんどのイマームが非業の最期を遂げています。

アシュラー祭というシーア派だけの祭りがあります。ウマイヤ家との戦闘で死んだフサインを称え、その死を嘆く祭りです。カルバラーの戦いの戦闘シーンの寸劇が行われ、人々は喪服を着てパレードします。男たちは自分の背中に鞭打って、イマームの苦しみを追体験します。

七代イマームであるイスマイルという人が若くして亡くなったとき、イスマイルは実は死んでいない、という噂が流れました。あまりにも迫害がひどいために、アッラーによってどこかに匿われているのだと。この考えを、イマームの「お隠れ（ガイバ）」と言います。

われわれシーア派が頑張って、悪の権化であるスンナ派政権を倒したあと、イスマイルが救世主として再び地上に姿を現す、と考える一派（イスマイル派）が生まれます。

しかしシーア派の多数派は「イスマイルは死んだ」ことにして、彼の弟を八代目とします。

やがて、十一代イマームが亡くなったときのお葬式に、見慣れぬ少年が姿を現します。この子は「みなさん、お父さんのお葬式は、後継者であるぼくがやります」と挨拶をして、そのままふっといなくなってしまった。その後、その子を見たものは誰もいない。

この事件以後、「あの少年が十二代イマームで、迫害から身を守るためお隠れになったのだ」と信じられるようになりました。それで、シーア派の主流派を「十二イマーム派」と呼ぶのです。

この少年、十二代イマームは、アル・マフディー（救世主）とも呼ばれ、いまでもシーア派の最高指導者です。子供の姿のまま、どこかに隠れているということですね。

その後の歴史を見ると、ときどきこの十二代イマームの代理人という人が現れて、シーア派の革命運動を起こします。十二代イマームと交信ができる、という人です。

一九七九年にイラン革命が起こりました。アメリカの石油資本と結託して、欧米化路線を突っ走っていたパフレヴィー国王が倒れ、シーア派の法学者のホメイニが政権をとった。そのとき、ホメイニは「私は十二代イマームの代理人だ」と言ったのです。この革命で生まれたイラン・イスラム共和国はいまも続いていて、選挙で選ばれる議会と大統領の上に、最高指導者としてシーア派の聖職者が君臨します。初代の最高指導者がホメイニで、次がハメネイという人ですが、彼らは十二代イマームの代理人なのです。

イスラム原理主義はどこから生まれたか？

ここまでは分裂がありながらも、イスラムのリーダーはアラブ人でした。アラブの支配を崩したのが、トルコ人の侵入ですね。

トルコ人は中央アジアの遊牧民で、最初は傭兵（ようへい）としてアラブ世界に浸透し、やがては恐るべき騎馬軍団として波状攻撃をしてきたのです。その中のセルジューク族が、アッバース朝の都バグダードを占領し、政治権力を握ります。

トルコ語では、王のことをスルタンと言います。軍事指導者ですね。

そして、歴代トルコ人政権は、征服したアラブのカリフの権威を尊重して、カリフからスルタンに任命される、というかたちをとっていた。日本で言うと、天皇と将軍のような関係です。

この政治権力と宗教権威との分離（政教分離）という問題は、民主主義の根幹に関わってきますので、ヨーロッパ史のところで取り上げます。

セルジューク朝は東ローマ帝国に圧勝し、現在のトルコ共和国がある小アジア（アナトリア）を占領しました。ここがトルコになったのはこのときです。

トルコ人最後の王朝が、アナトリアで建国したオスマン帝国です。モンゴルの侵攻の混乱に乗じて勢力を広げ、東ローマ帝国を滅ぼし、エジプトも併合して東地中海一帯を支配する大帝国になりました。このときエジプトで保護されていた最後のカリフをイスタンブールへ連行し、幽閉してしまった。のちにオスマン帝国のスルタン（皇帝）が、カリフ（宗教指導者）も兼ねるかたちにしてしまった。政教一致体制に戻ったんですね。

また、このオスマンという国は、イェニチェリという鉄砲隊を組織し、大砲も配備しました。オスマンの砲兵はヨーロッパ各国の騎兵をなぎ倒し、バルカン半島をすべて征服します。

オスマン帝国がエジプト、アラビア半島に手を伸ばすと、アラブ人たちから反発が起こります。「トルコ人の分際（ぶんざい）でカリフとは何様か！」と。とくに、聖地メッカがあるアラビア半島のアラブ人たちが、オスマン支配をおもしろく思わないのは当然でしょう。

このアラビア半島で、オスマン帝国の支配を脱しようというワッハーブ運動が起こりま

オスマン帝国の支配
ロシア帝国
バルカンのキリスト教徒
オスマン帝国で政教一致制に。
スルタン:軍事指導者
カリフ:宗教指導者
オスマン帝国（トルコ人）
ワッハーブ（イスラム法学者）
サウード家（軍事指導者）
スエズ運河
エジプトのアラブ人
アラビアのアラブ人
紅海
西欧と結んで（英・仏）近代化
スエズ運河建設
英の植民地化
英仏
コーランだけに従いアラブ統一を!
サウジアラビア国旗（剣とコーランの一節）

す。

ワッハーブというのはイスラムの法学者、『コーラン』の専門家だった人です。

当時のアラビア半島は、またしてもたくさんの部族がお互いに殺し合う状態になっていました。ワッハーブは考えます。

「いまのアラビア半島は、預言者ムハンマドが生まれたときのアラビア半島と同じだ。アラブがまとまっていないから異民族のトルコによって侵略されたのだ」

ということは、もう一回基本に戻って、つまり『コーラン』に立ち返って、アラブを再統一してトルコに対抗すべきである、と。このワッハーブの考えに乗ったのが、サウード家という豪族です。サウード家の剣と、法学者の『コーラン』が手を組んで、アラビア半島に政教一致国家を作ろうとしたわけです。

この戦争はムハンマドの戦争と同じであって、これは聖なる戦い、聖戦（ジハード）である。われらに逆らう者は、アッラーの敵。同じアラブ人でも許さん、といってすさまじい宗教戦争を始めた。トルコ人が持ちこんだ非アラブ的な習慣、宗教指導者を聖人として崇拝することや、歌や踊りで信仰を表現するスーフィズム（神秘主義）を異端として弾圧します。もちろんシーア派に対しては容赦しません。

こうしてワッハーブ派の宗教的情熱が、アラビア半島を統一していきます。

これが、サウジアラビアの起源です。サウジアラビアというのは「サウード家のアラビア」という意味です。サウジの国旗は、剣と『コーラン』の一節です。

――サウジアラビアというのは、過激派が起こした国だったということですね

そう。スンナ派の中でもいちばん厳格なワッハーブ派です。『コーラン』は時を超えて唯一絶対なので、千数百年前に決まったことを絶対に変えてはいけない。当然、女性は全員ベールを被(かぶ)らなければいけないし、酒を飲んだ者は鞭打ち、盗みをした者は手首切断、殺人犯は斬首(ざんしゅ)となります。これがサウジの国教です。

近年、世界中でテロをやっているアルカイダという組織がありますが、あのメンバーは全部このワッハーブ派です。彼らはスンナ派の過激派ですので、シーア派も攻撃します。ですから、シーア派のモスクが爆破されたりするのは、ワッハーブ派のテロ集団のしわざです。もちろん、シーア派のイランとも激しく対立します。

イスラムの近代化と「中東問題」の始まり

アラビア半島のアラブ人は、『コーラン』に立ち返ろうとしたわけですが、エジプトのアラブ人は違いました。同じアラブですが、地中海に面していますから、貿易を通じてヨーロッパ諸国とも非常に長い付き合いがあります。

そのため、エジプトのアラブ人はオープンで、キリスト教文明のいいところを取りこもうという考えがありました。

十九世紀になると、ムハンマド・アリーという軍人がエジプトで独立運動を起こし、西ヨーロッパ、とくに英・仏に学んで近代化をしようと考えました。

エジプトはちょうど地中海からインドへ抜けるルートになりますので、英・仏はここに運河を作りたい。スエズ運河ですね。それだけでなく、鉄道を敷いたり、用水路を引いたりするのに金がかかるというので、英・仏から借款(しゃっかん)を受けます。その利子がだんだん増えていく。最後には債務と引き換えに徴税権を握られ、イギリス植民地に転落していきます。

その頃、オスマン帝国領のバルカン半島では、ロシア帝国が地中海への進出をはかり、オスマン帝国に対するブルガリアやセルビアの独立運動を煽ります。

一方、ドイツ・オーストリアもバルカン半島に手を伸ばしてきました。簡単にいうと、バルカン半島でドイツとロシアがぶつかったのが、第一次世界大戦の発端です。

ロシアにバルカンを奪われたオスマン帝国は、ドイツ・オーストリアと手を組みます。一方、ロシア側にはフランス・イギリスがつきました。

こうして、オスマンは英・仏・露を敵に回すことになりました。

英・仏・露は、この戦争でオスマン帝国を解体したあと、三国で分割して地中海からペルシア湾に抜けるルートを手に入れようと考え、密約を結びます（サイクス・ピコ協定）。

広いオスマン帝国の中で、トルコ人居住地はアナトリアという地域で、いまのトルコ共和国があるところです。その南にあるシリア、イラク、ヨルダン、パレスチナ、レバノンといったアラブ人居住地に、英・仏は勝手に線引きをします。


――この地域の国境線は、いまでも不自然というか……直線的ですよね。

ええ、このときに英・仏が定規で引いた国境線です。

イギリスはペルシア湾へ抜けるためにイラクからヨルダン、パレスチナ。フランスが残りのシリアとレバノンを、という具合に決めたわけですね。

この地域のアラブ人は、オスマン支配に反発していましたね。

そこで、イギリスはアラブ人の独立を認めるから一緒にオスマンと戦ってくれ、と持ちかけた。この密約をフサイン・マクマホン協定と言います。フサインというのはメッカの州知事で、預言者ムハンマドの一族（ハーシム家）です。マクマホンはイギリスの外交官です。実際には、イギリス陸軍の諜報部員トマス・ロレンスが、アラブ人の格好をしてアラブ軍の指揮をとりました。『アラビアのロレンス』という映画にもなっていますね。

――でもサイクス・ピコ協定で、英・仏が分割するはずだったのでは？

二枚舌ですね。

結局、イギリスの思惑どおり、第一次世界大戦でドイツとオスマン帝国は負けました。戦勝国となったイギリスは、アラブ独立を認めたフサイン・マクマホン協定をなかったことにしたい。

ここで都合よく、アラブ人の内紛が起こります。

イギリスから独立を約束されたメッカのハーシム家と、ワッハーブ派のサウード家との対立です。サウードから見れば、ハーシムは異教徒イギリスの手先。絶対にアラブの王とは認めない、ということです。メッカをサウード家に奪われたハーシム家は、イギリスに助けを求めます。

イギリスはハーシム家の王子たちを保護して、「あなたはイラク王」、「あなたはヨルダン王」と決め、アラブ人地域を細分していきます。フランスも、シリアやレバノンを作ります。

こうしてできたのがいまの国境線です。

エジプトでは、ムハンマド・アリーの一族が、イギリスの保護下で「エジプト王」となります。

だからイラク王もヨルダン王もエジプト王も、イギリスの言いなりになるのです。「最近、油田が見つかった。アラブ人には掘れないだろうから、イギリス企業に採掘権を与えろ」、「イギリス軍の駐留を認めろ」というわけですね。

こうして一応は独立ということにはなっても、石油利権や運河利権は、英・仏が握ったまま、イギリス軍も駐留したまま、というわけです。

アラブの王様たちは、イギリスべったり、フランスべったりで、外国資本と石油利権を山分けにして、自分たち一族が儲かればいいという人たちです。ですから、民衆からはまったく人気がありません。

これは第一次世界大戦後の一九二〇年代の話ですが、そのあと三〇年代になって同じことをやったのが日本です。日本は満州を占拠したあと、中華民国に追われて日本に亡命を求めていた、清朝最後の皇帝・溥儀を担いで、満州国とします。建前は独立国家ですが、日本軍が駐留し、満州の資源は日本企業（満鉄や日産）が押さえました。イギリスがイランやエジプトでやったのと同じことです。

満州事変のときには中華民国が日本を国際連盟に訴え、国際連盟はリットン調査団を送りました。リットンはイギリスの外交官ですから、「ああ日本も同じことやってるな」と思った。

ですから、リットンが作った報告書は、日本にとって非常にゆるい内容でした。

「日本軍は占領地から撤退しろ」

「満州は中華民国には返還せず、日本を含む列強の国際管理とする」

つまり、日本の支配を事実上容認しながら、イギリスにもちょっと甘い汁を吸わせろ、ということでした。

ところが日本はリットンの提案を蹴（け）ってしまい、日英関係が悪化していって、最後は米・英と開戦します。敗戦国となった日本の「侵略戦争を裁く」と言って東京裁判の判事席に座ったイギリスですが、実は同じことを日本よりも先にやっていた、というわけです。

パレスチナ問題とは何か

第一次世界大戦のとき、イギリスはパレスチナでも二重外交をやって、のちのちまで続く問題の種をまきました。パレスチナをめぐる紛争です。

二千年前の話になりますが、ローマ帝国に祖国を追われ、彷徨（さまよ）うことになったユダヤ人たちの中には、金融業で成功する人たちが多く出ました。

これはちゃんと理由があることで、ユダヤ人は常に迫害を受け、土地を追われてしまうので、財産を不動産で持っていてもしょうがない。全部貴金属に替えて、どこへ逃げていっても商売ができるのは金融業、つまり金貸しです。

二十世紀になると、ロンドンのユダヤ系財閥ロスチャイルド家が世界最大の金融業者になっていました。同時に、ロスチャイルド家は、ローマに破壊されたユダヤ国家をもう一度作ろうという運動の担い手だったんです。

このパレスチナ、エルサレムをもう一回再建しようとする運動を「シオニズム」と言います。シオンというのはエルサレムの別名です。

イギリスは第一次世界大戦中に軍資金がなくて困っていました。そこで、ロスチャイルドから軍資金を借りる代わりに、イギリスの外務大臣バルフォアが「パレスチナにユダヤ人のホームランドを作ることを歓迎する」と宣言します。これがバルフォア宣言です。

――でも、イギリスはアラブ人の独立も約束していたんですよね。

フサイン・マクマホン協定ですね。明らかに矛盾します。

先ほど言ったように、イギリスがバルフォア宣言で認めた「ユダヤ人のホームランド」というのはパレスチナです。パレスチナには中世以来、アラブ人が住んでいましたから、アラブ人からすれば「どうしてユダヤ人が入ってくるんだ?」ということになる。これがパレスチナ紛争の始まりです。

イギリスはアラブとユダヤをぶつけ、アラブ人同士を争わせ、とにかく中東が絶えず分裂している状態を好みます。そして各地方に自分の息のかかった政権を作って、石油利権とインドへの道を押さえるのが狙いなのです。

しかし、第二次大戦でイギリスはかなり疲弊しました。戦後はたとえばインドが独立してしまったりして、もう植民地を押さえきれなくなってきます。

すると、パレスチナに軍隊を置いておくゆとりもなくなってきます。そしてイギリスは結局、逃げ出しました。その代わり、ユダヤ国家の正式な独立を認めます。これがイスラエルです。

ところがパレスチナという地域は、日本で言うと東北地方程度の大きさです。そこにもともとアラブ人がいて、ヨーロッパからワッとユダヤ人が入ってきたらどうなるか。国連では、仕方がないから二つに分けようという話になります。これがパレスチナ分割案です。

でも考えてみてください。パレスチナを分割して、こちらはパレスチナ、こちらはイスラエルと決めたとして、今日からイスラエルになった地域に住んでいるアラブ人が、「はい、そうですか」と黙って出ていくわけがないでしょう。それでアラブ人とイスラエル人は衝突します。

イスラエル軍は銃で脅してアラブ人を追い立て、アラブ諸国はイスラエルなどという国は認めない、といって攻めこみ、パレスチナ戦争（一九四八）が起こります。

この戦争では、イギリスがたっぷり武器を与えたイスラエルが勝ちます。しかも、イスラエルと戦っているアラブの国々の王様たちは、実はイギリスとも石油利権で「ずぶずぶ」なので、本当はやる気がない。つまり、戦うふりをするんですね。

――もともとアラブ民衆の支持がなかった王様たちでしたよね。

だから不満が爆発します。イスラエルに勝つためには、まずイギリスと「ずぶずぶ」の王様を倒さないとダメだということで、アラブ各国で革命が起こります。

エジプトでは王政を倒したナセルという軍人が、スエズ運河の国有化を断行します。そして、イギリスとフランスに出ていけと言った。

イラクでは、革命政権が油田の国有化をやります。石油利権をイギリスから奪ったわけです。

すると、英・仏も黙ってはいません。イスラエルとも組んでエジプトの革命政権に戦争

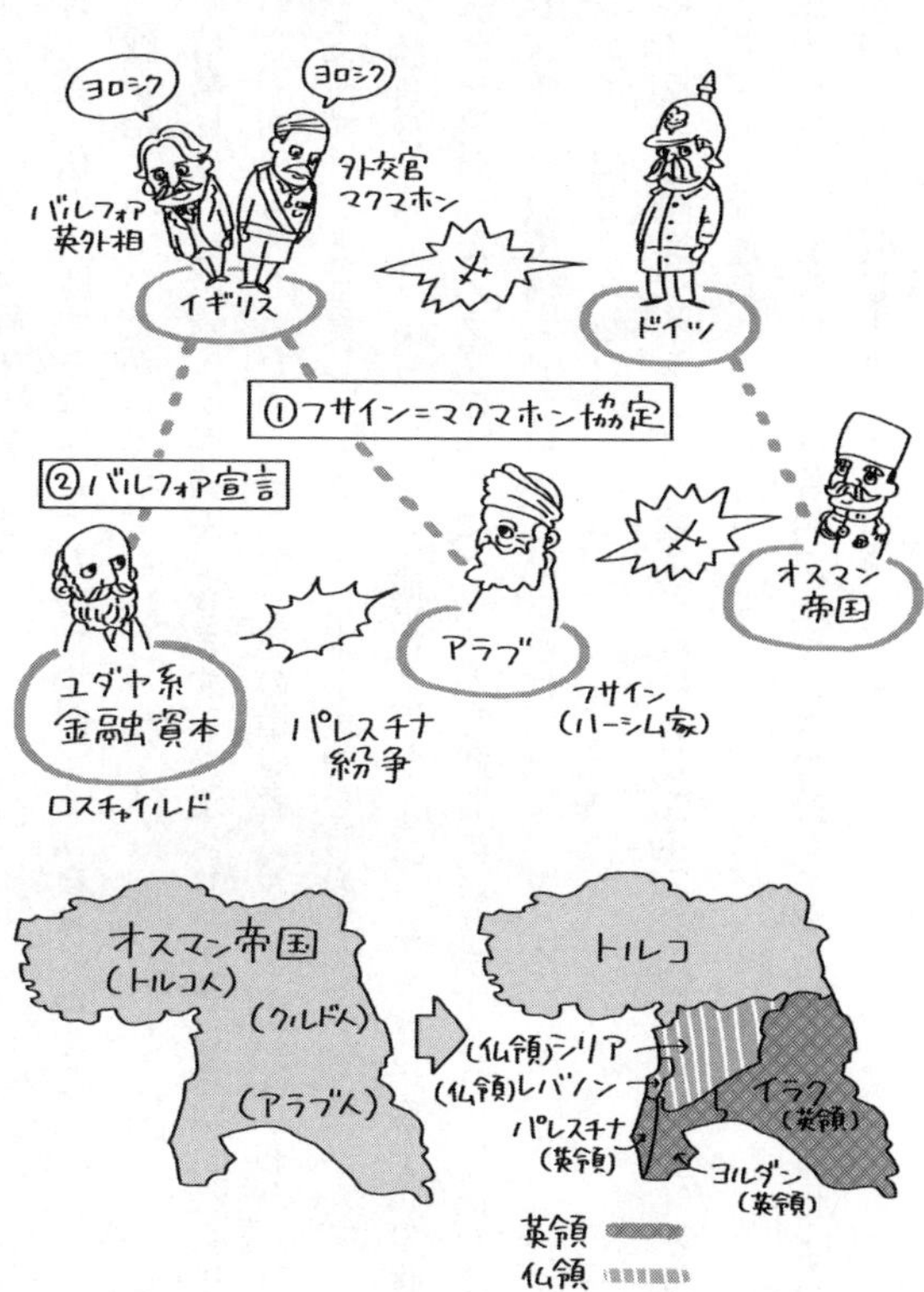
パレスチナ問題
ヨロシク
ヨロシク
外交官
マクマホン
バルフォア
英外相
イギリス
ドイツ
①フサイン=マクマホン協定
②バルフォア宣言
オスマン
帝国
アラブ
ユダヤ系
金融資本
パレスチナ
紛争
フサイン
(ハーシム家)
ロスチャイルド
オスマン帝国
(トルコ人)
(クルド人)
(アラブ人)
トルコ
(仏領)シリア
(仏領)レバノン
パレスチナ
(英領)
イラク
(英領)
ヨルダン
(英領)
英領
仏領

を仕掛けます。これをスエズ戦争と言います。

この戦争は、英・仏が圧勝するはずだったのですが、そうならなかった。米・ソの冷戦が始まっていたからです。

戦後の国際情勢には、常に米・ソが絡んできます。ソ連（ロシア）は中東に社会主義政権を作りたいし、油田も押さえたい。そこでソ連の指導者フルシチョフは「われわれはアラブの革命を支持する」と宣言し、エジプトに軍事援助を始めます。

結局、この勝負はイギリス・フランスの撤退で終わります。アラブ民族主義の勝利です。パレスチナを追われたアラブの難民にもソ連から武器が渡ります。この難民たちが作ったのがパレスチナ解放機構（ＰＬＯ）という政治組織です。

革命はイランでも起こりました。

エジプトやイラクと同様、イランでも親英王政に対してイラン国民の権利を守ろうという、ナショナリズム的な運動がまず起こります。

一九五〇年代には、モサデグという首相がイギリスの持っていた石油の国有化を行います。ところが、これは失敗します。

というのは、アメリカの支援を受けた国王側が巻き返しをして、クーデターによってモサデグを逮捕したからです。

その後ずっと国王パフレヴィー二世の独裁が続きました。彼は西欧主義者でしたので、時代遅れのイスラムを押さえこんで、イランを近代化しようとした。確かにこの政策によって経済は成長しました。いわば新自由主義的な、外国企業をどんどん入れるという政策です。でも、競争が激化した結果、どうなるか、わかりますよね。

――貧富の差が広がった？

そのとおり。経済成長に取り残された貧困層が、パフレヴィー王政を恨むようになりました。

そのとき、富の分配を訴えたのが、シーア派のイスラム神学者、ホメイニです。『コーラン』には、富めるものは貧しきものに施しをせよ、という教えがあります。異教徒と手を組み、石油の富を独占して民に分配しない国王は、アッラーの敵である。国王を打倒することはアッラーのご意志にかなうと、ホメイニが説教しはじめたわけです。

それが民衆の支持を集めて、イラン革命が起こったのが一九七九年です。この年は、イスラム暦の一四〇〇年にあたる。つまり世紀の変わり目です。その変わり目の年に世直しをしよう、ということで立ち上がり、成功したのがイラン革命です。

このときに、十二代イマームの代理人が最高指導者を務める、イラン独特の神権体制ができたということです。

イラン革命の影響は周囲の国々にも広がります。東の隣国アフガニスタンと、西の隣国イラクにも、シーア派革命の波が押し寄せたのです。

アフガニスタンでは、親ソ連の共産党政権が成立し、宗教教育を禁止して、『コーラン』を焼きました。共産主義というのは無神論だからです。これに反発したイスラム教徒が立ち上がり、内戦が勃発(ぼっぱつ)します。親ソ政権が危うくなったところで、ソ連が軍事介入します。ソ連軍のアフガニスタン侵攻（一九七九〜八九）です。

イラクでも、親ソ連の革命政権——サダム・フセイン政権が独裁体制を樹立し、人口の六割を占める南部のシーア派や北部の少数民族クルド人を弾圧していました。シーア派はイラン革命に快哉(かいさい)を叫び、フセイン政権とぶつかります。国内のシーア派を押さえこみ、そのバックにいるホメイニを打倒しようとサダム・フセインがイランに攻めこんだのがイラン・イラク戦争（一九八〇〜八八）です。

「アラブの春」とはなんだったのか

さて、アラブ諸国では民族主義が盛り上がったわけですが、これを支えたのはソ連からの軍事援助でした。しかし、計画経済の失敗とアフガニスタン戦争の泥沼化は、ソ連経済を疲弊させます。もうアラブ諸国を支援する力が残っていなかったのです。

――冷戦の終結ですね。

そうです。しかも一九九一年にソ連は崩壊してしまった。当然、ソ連からは武器が来なくなる。それでアラブ民族主義は下火になります。

これはアメリカから見るとチャンスです。それでまずアメリカは冷戦の終わり頃から、エジプトに対して政策を変えろと迫ります。もうソ連は持たないから、社会主義をやめろ、イスラエルと和解しろ、ということで仲介に入ります。アメリカには大量のユダヤ系移民がいますので、アメリカの政治家は、ユダヤ票を無視できないのです。

スエズ戦争以来、イスラエルと何度戦っても勝てずに疲弊していたエジプトは、アメリカ大統領カーターの仲介を受け入れて和解します。これがキャンプ・デーヴィッド合意といって、初めてアラブの国エジプトがイスラエルを承認したわけです。

アメリカ大統領クリントンは、PLOのアラファト議長とイスラエルを仲介し、オスロ合意にこぎつけます。激しい反イスラエル闘争を展開してきたアラファトが、敵国イスラエルを承認し、パレスチナの一部地域での自治権を得ることで妥協したわけです。

最後までアメリカに逆らった国がイラクです。イラクはイスラエルなんていう国は絶対認めない、という立場を貫いた。その最後の指導者がサダム・フセインです。

彼はソヴィエト型の社会主義をやりたかったんです。イスラム教育を禁止し、女性はベールをとってよろしい、という政策をとった。ですから、フセインという人はアラブ民族主義、社会主義、そして世俗化を推し進めた人です。

——ということは、やはりソ連が崩壊してしまうと苦しいですね。

そうです。まず、イランとの戦争に勝てない。大産油国のイランに対して、イラクにはあまり油田はありません。

フセインが目をつけたのはクウェートです。もともとこの国は、イギリスが油田を押さ

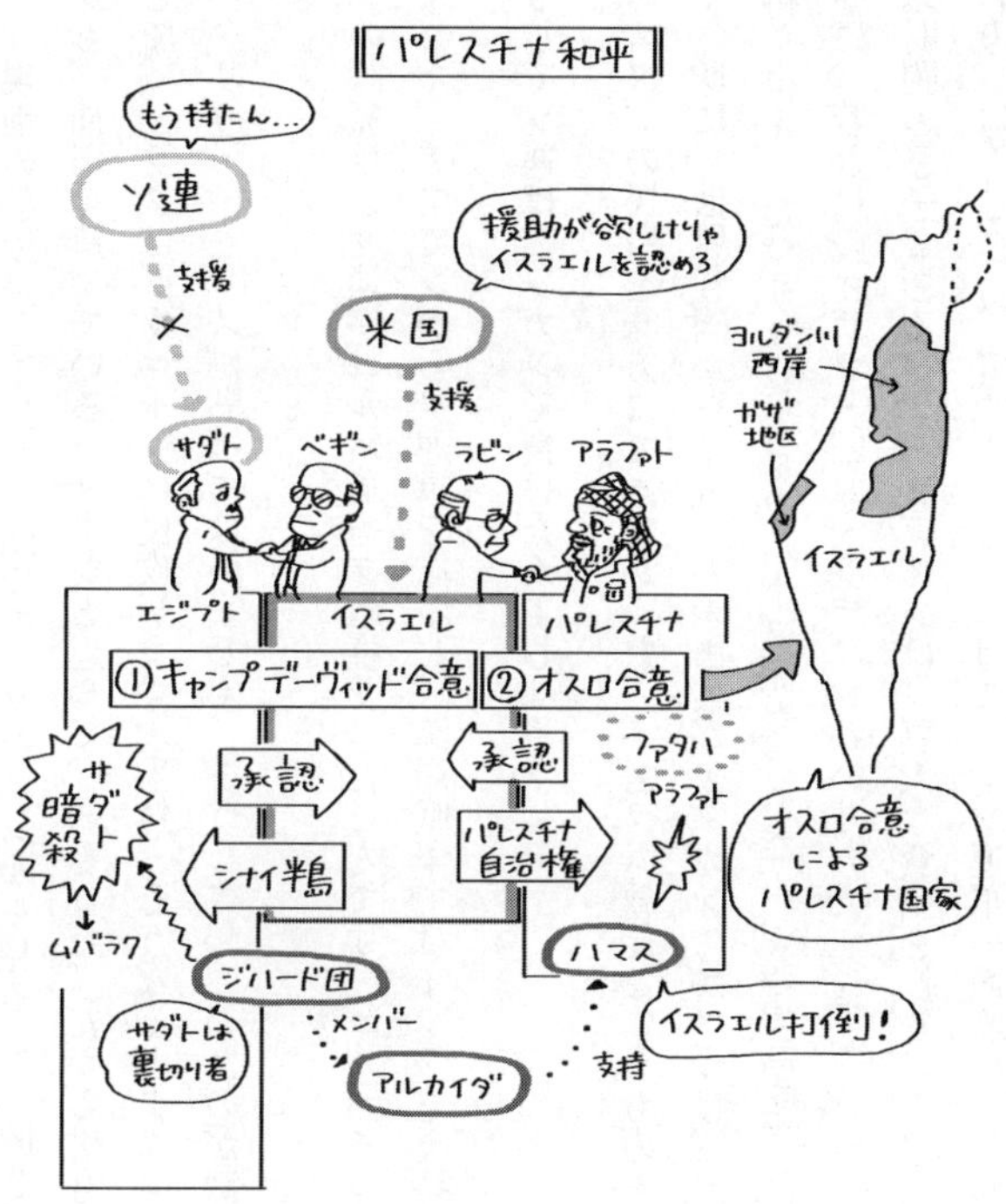
パレスチナ和平
もう待たん…
ソ連
支援
援助が欲しけりゃ
イスラエルを認めろ
米国
支援
ヨルダン川
西岸
ガザ
地区
サダト
ベギン
ラビン
アラファト
イスラエル
エジプト
イスラエル
パレスチナ
①キャンプデーヴィッド合意
②オスロ合意
ファタハ
アラファト
承認
承認
サダト暗殺
シナイ半島
パレスチナ自治権
オスロ合意
による
パレスチナ国家
ムバラク
ハマス
ジハード団
イスラエル打倒！
メンバー
サダトは
裏切り者
アルカイダ
支持

えるために、現地の部族長を王にした国です。フセインから見ると、「同じアラブではないか。しかも、油田を持っている。サウジと違って、弱そうだ。だから併合してしまえ」ということで、イラクはクウェートに侵攻します。当然、そうなるとクウェートの石油利権を握るアメリカ・イギリスが黙ってはいません。こうして起こったのが湾岸戦争（一九九一）です。

フセインの誤算は、ソ連がゴルバチョフ政権だったことです。ゴルバチョフは冷戦終結を優先しました。アフガンからソ連軍を撤収し、湾岸戦争ではイラクを見捨てたのです。

——どうしてソ連はアフガンで負けたんでしょう?

アフガニスタンの民衆を味方にできなかった。イスラム教徒というものを理解できなかったのです。逆に、世界各国からイスラム義勇兵がアフガンにかけつけ、ソ連軍と戦って民衆の支持を得ました。サウジのワッハーブ派もたくさんの義勇兵をアフガンに送ります。その中に、若き日のオサマ・ビン・ラディンがいたのです。

サウジの財閥の息子であるビン・ラディンは、莫大な資金を投じてアフガンにゲリラの本拠地を作り、「アルカイダ（基地）」と名づけます。ソ連軍の撤収は、彼らにとっては、

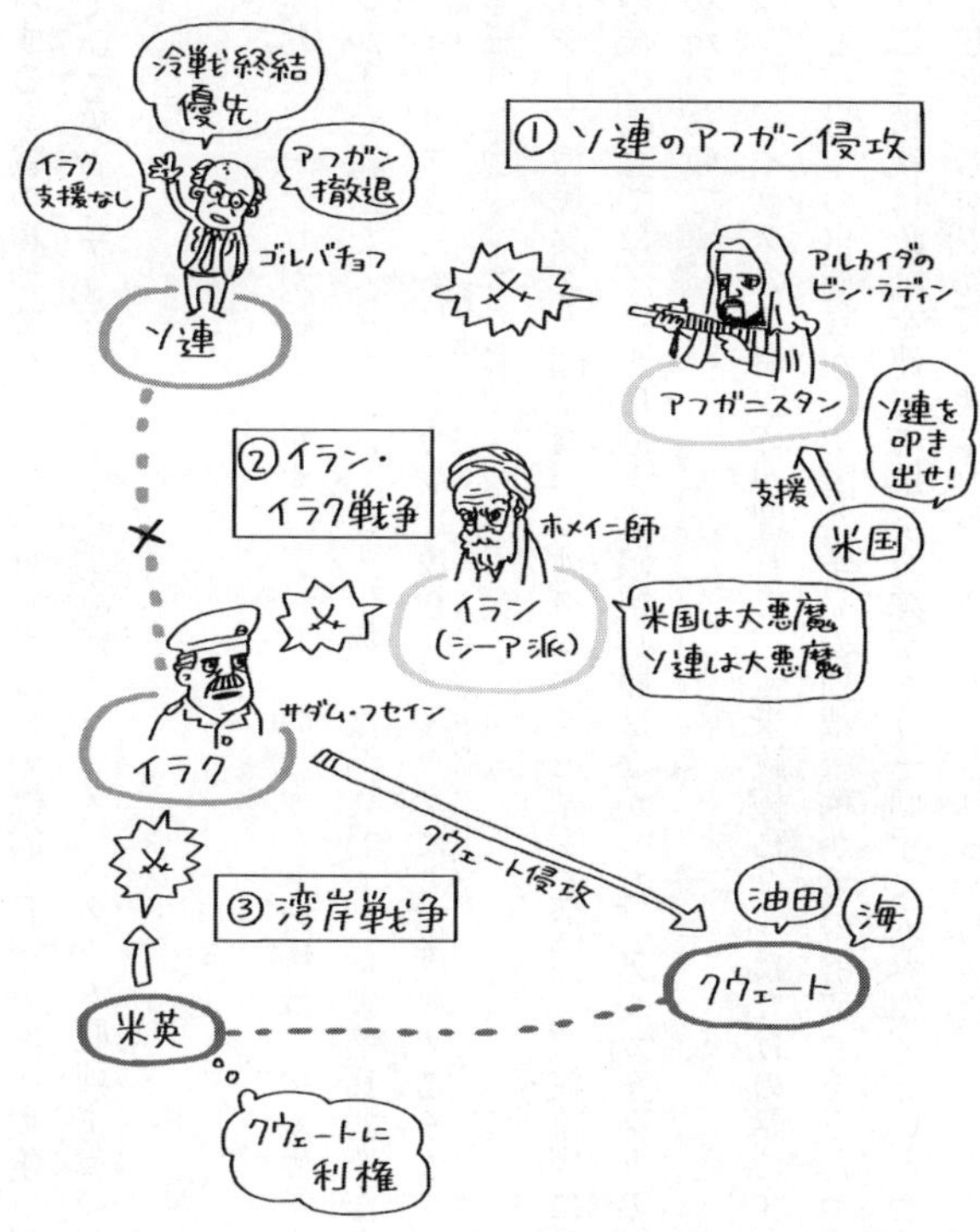
イラン・アフガン・イラクの関係
冷戦終結優先
イラク支援なし
アフガン撤退
ゴルバチョフ
ソ連
① ソ連のアフガン侵攻
アルカイダのビン・ラディン
アフガニスタン
ソ連を叩き出せ!
支援
米国
② イラン・イラク戦争
ホメイニ師
イラン（シーア派）
米国は大悪魔
ソ連は大悪魔
サダム・フセイン
イラク
クウェート侵攻
③ 湾岸戦争
油田
海
クウェート
米英
クウェートに利権

無神論ソ連に対する聖戦（ジハード）の勝利でした。アルカイダは次の標的として、湾岸戦争以来、サウジに駐留している異教徒アメリカへの攻撃を開始します。イスラム原理主義の台頭です。

二〇〇一年、九・一一テロが起こります。アメリカのブッシュ政権は「アルカイダとサダム・フセインが手を組んだ。イラクは、核・生物・化学兵器＝大量破壊兵器を作っている」と主張し、イギリスとともにアフガンを攻撃し、イラクにも再度攻めこみます。イラク戦争（二〇〇三〜二〇一一）です。

アメリカ軍はシーア派民兵と一緒になってサダム・フセインを逮捕し、絞首刑にした。ところが、その後の調査ではイラクには大量破壊兵器はなかった。アルカイダとのつながりも見つからなかったのです。

なんのことはない、イラクの革命政権が倒れて、親米政権になっただけの話です。

たとえて言うと、日本の自衛隊が「中国共産党の独裁政権からの解放」をうたって旧満州に攻めこみ、ここに親日政権を建てて地下資源をもう一回手に入れた、というような話です。こんなことを日本がやれば、世界中から袋叩きにされるでしょう。

同じことをアメリカ・イギリスがイラクでやると、なぜかみんな拍手をして「イラク解放」と賞賛する。おかしな話です。

――フセイン政権が倒されたあとは、もう反イスラエルの国はなくなった?

残ったのはリビアのカダフィ政権、シリアのアサド政権です。ともに中東最後の独裁者と言われ、人権抑圧を糾弾され、「アラブの春」と呼ばれる民主化運動で揺らいだ政権です。カダフィは内戦で殺され、シリアでも泥沼の内戦が続いています。

「アラブの春」では、エジプトのムバラク政権も倒されました。

キャンプ・デーヴィッド合意でイスラエルに擦り寄った結果、エジプトのサダト大統領は軍事パレードの最中に殺されます。兵士の中にいたイスラム原理主義者に射殺されたのです。跡を継いだのがムバラクです。長期独裁のため政権は腐敗し、貧富の差も拡大しました。このムバラク政権を引っくり返したのが「アラブの春」ということになります。

「アラブの春」を主導したのは、二つの勢力です。一つは欧米諸国の支援を受けた人たち。もう一つはアルカイダとつながるイスラム原理主義勢力です。エジプトの場合にはムスリム同胞団という組織があって、ムバラク政権と敵対していました。選挙の結果、ムスリム同胞団系の政党が勝利したため大混乱となり、軍のクーデターが起こり……と混乱が続いています。

民主化したら原理主義が台頭した、という例は、イランも同じですね。

アメリカは世界金融危機で衰退し、アメリカ国民はイラク戦争に疲れ、「イラクからの撤兵」を掲げるオバマ政権が成立しました。次のトランプ政権はやることは荒っぽいのですが、「中東から手を引きたい」点ではオバマと同じ。

米軍撤収後のイラクでは、多数派のシーア派政権に対して、スンナ派とクルド人の反発が強まり、内戦が続く隣国シリアへは、スンナ派の過激派武装組織が流れ込み、シリア・イラクにまたがる「IS（イスラム国）」の樹立を宣言。外国人殺害や他宗派の人々への弾圧など、やってることはメチャクチャですが、百年前に英・仏が引いた国境線を、彼らは無効にしたいわけです。

民族や宗派の分布を無視した植民地時代の国境線が残る限り、中東紛争の火種は消えないでしょう。

［第3章］

ヨーロッパ文明の源を理解する

国家権力の起源——民主主義はどう誕生したか？

ヨーロッパは、いまの世界を動かしている四つの思想を生み出しました。

一つは民主主義（デモクラシー）。二つ目が主権国家。三つ目が資本主義。四つ目が、そのカウンターとしての社会主義です。

この四つがわからないといまの世界は説明がつきません。だから、これらを生み出したヨーロッパの歴史を学ぶ必要があるのです。

まずは民主主義からいきましょう。

あらゆる民族は国家を作ります。その国家には指導者が必ずいる。では、国家の指導者は、王様にせよ大統領にせよ、どうやって権力を握るのか。

歴史上の指導者、たとえばアレクサンドロス大王、カエサル、あるいはナポレオンでも、肉体的には他の人間と変わらないでしょう。ナポレオンが空を飛んだわけではないですから。では、なぜ特定の人物に「その他大勢」がついていくのか、ということです。

それは、そもそも権力というものがなぜ生まれるのか、という問題です。

僕は猫を飼っているんですけれども、猫は群れを作りません。野良猫の集会をときどき見かけますが、別にボスはいない。勝手に集まってしばらく一緒にいるだけです。ところが犬は群れを作りますし、ボスがいます。

――サルにもボスがいますね。

動物園のサル山の高いところにボスザルが陣取っていますね。人間はどうもサルに近いらしいので、たぶんその辺から権力というものが生まれたのでしょう。ボスザルの場合は明らかに体が大きい、喧嘩（けんか）に強いといった条件があります。でも、人間の場合は必ずしもそうではない。ナポレオンもヒトラーも、非常に小柄な男で、肉体的には決して恵まれていない人でした。にもかかわらずあれほどの力を持ったのはなぜだろう。

――カリスマ性ってやつですね。

カリスマという言葉は「神に与えられた特殊な能力」を意味するギリシア語です。社会学者のマックス・ウェーバーが、カリスマ的支配・伝統的支配・合法的支配を「支配の三類型」と呼びました。ただし、カリスマ的人物の子孫が権力を世襲すれば伝統的支配になるし、それが立法化されれば合法的支配になりますから、権力の根は一緒、ということだと思います。

カリスマとは、人間の力を超えた何物かをその人が背負っているということ。古代社会においては、自然に対する恐怖心みたいなもの。自然を神として祀る人物——神官とか祭司、お坊さんが王になる、というパターンです。祭司王と呼ばれるものです。

いちばんわかりやすいのは古代エジプトの場合で、太陽神・ラーの生まれ変わりとしてエジプト王（ファラオ）は登場しました。ペルシアの王様は、やはり光の神アフラマズダーの化身として登場した。日本の天皇も、太陽の女神・天照大神の子孫として登場します。

このように、祭祀王として超自然的なパワーを背負っていると見なされたリーダーたちのことを仮に「オリエント型」と呼びましょう。アジアの多くの国はオリエント型です。たとえば中国もそうですね。中国の皇帝は天子（天の子）と呼ばれました。

ところが、ギリシア・ローマの権力は、これとは逆のパターンです。人民から選ばれた、支持されたリーダー。人々の集会があって、たとえば演説がうまい、人々を熱狂させる、といった資質からカリスマ性を持つようになるというパターンです。これを仮に「ギリシア型」の権力と呼びましょう。

ギリシア・ローマにおいては、どうして下から権力が生まれたか。これが大事なポイントになります。

ギリシアの場合は、自然環境に特徴がありました。エーゲ海の沿岸は、まず平野がない。海のぎりぎりまで山が迫っている。そして島がたくさんある。言ってみれば、巨大な瀬戸内海みたいな場所です。

そうすると、人々は狭い平地に固まって住むことになります。小さなコミュニティが長く存続したということですね。

これに対して、オリエントとか中国の場合には大平原がありますから、小さなコミュニティがすぐ他のコミュニティとぶつかって、壊れてしまう。すると、それを統合する秦の始皇帝（しこうてい）みたいな強力な権力が生まれてくるわけです。

ギリシアでは、人口でいうと数千人から多くて数万人という小さなコミュニティがたくさんあって、敵が来たら男たちがみんなで戦い、その村の大事なことはみんなが集まって決めるという仕組みが自然に生まれました。これを「民会」と言います。

王がいても民会の代表という感じで、エジプトのように神の代理といった性格はなかったのです。このように国家権力が「上から」ではなく「下から」――人民から生まれた。これが民主主義の原型となったのです。

――ギリシアの地形が民主主義を生んだということですね。

そうです。いちばんたくさん記録が残っているアテネという都市国家の場合を見てみましょう。

アテネの場合も、万事民会で決めることになっていた。民会に集まることができる人たちは、コミュニティの中の有力者、長老たち（貴族）です。その下に平民がいて、あとは戦争捕虜の奴隷がいるという社会です。貴族・平民・奴隷という三階級です。

ギリシアは土地が痩せているので自給自足ができません。貿易をしないとご飯を食べられない。そこで、黒海の沿岸のあたりから穀物を買って、ギリシアからは商品を売るという貿易が発達しました。商品というのは主にワインとオリーブ・オイルですね。

貿易が盛んになってくると貨幣が生まれます。貨幣が生まれると、貯金ができる。すると、平民に生まれても才能があれば商業によって富を得ることができるようになる。

そうすると、貴族に対して、商業で富を得た平民がだんだん力を持ってくる。「俺たちも民会に入れろ」と主張するようになる。当然、長老たちは嫌がりますので、この権力争いを「身分闘争」と言い、かなり血が流れましたが、結局は平民の要求が通りました。

クレイステネスという政治家が貴族制度を廃止します。全アテネ市民を家柄ではなく居住地で十個のグループに分け、新たな選挙区にしたのです。ギリシア語で民衆とか居住地のことを「デーモス」と言います。デーモス単位のという意味でデモクラッィア。英語でデモクラシー（Democracy）。日本語で「民主主義」が、こうして始まったのです。

平民が台頭した理由はもう一つあります。戦争のやり方です。平野が少ない土地では騎兵隊が使えません。馬に乗るのは貴族だけで、一般の兵士はみな歩兵です。この平民が頑張ってくれないと戦争に勝てないということです。

海戦ではガレー船という手漕ぎのボートが軍艦として使われました。両脇に何十本もオールがついて、漕ぐのは武器も買えない貧しい平民たちです。

このように、歩兵やガレー船の漕ぎ手として従軍することによって、平民たちは発言力を持ちました。「われわれはアテネを守っているんだから、政治に参加させろ」というわけです。

徴兵制（兵役）と民主主義とは、実は同時に生まれた一卵性双生児なのです。このことは、フランス革命のときにもう一度説明します。

民主主義は衆愚化する

アテネの民主主義確立にとって決定的だったのはペルシアとの戦争、ペルシア戦争（前四九九〜前四四九）です。アケメネス朝ペルシアの侵略に対するギリシア諸都市の戦いです。

ペルシアの大艦隊が押し寄せたときに、アテネはサラミスの海戦（前四八〇）で大勝利をします。ガレー船の漕ぎ手である平民たちの活躍による奇跡の勝利です。

これをきっかけにして、アテネ軍の司令官となったペリクレスという人が、平民たちの活躍を認め、正式に参政権を与えようと決めます。それまでの貴族会議ではなくて、一般大衆が集まる民会がアテネ市の最高機関になったのです。

この民会には、アテネ市の成人男子全員が参加できることになりました。徴兵義務のない女性や奴隷、外国人を除く全アテネ市民が、万事を多数決で決めることにした。さらに、あらゆる官職を民会で選ぶ。大臣に相当する九人の執政官という官職（任期一年）があり、これも民会で選ぶということです。アテネ民主主義の完成ですね。

ところが、ここで問題が起こります。

当時の一般大衆というのはそもそも読み書きができないですし、政治的な訓練も積んでいません。

しかも、公職選挙法なんてありませんから、候補者は人々を食事に招いて、たらふく食わせ、飲ませ、そして「私に清き一票を！」と訴える。つまり買収ＯＫだったんですね。金持ちはこれを毎回やりますので、必ずそういう連中が選挙で勝つことになります。すると貧困層から「おかしいじゃないか」という声が上がります。そこでペリクレスは選挙をやめて、くじ引きで執政官を選ぶようにしたのです。

――ええっ、大臣をくじ引きで選んだんですか？

そうです。確かに平等にはなりましたが、今度は何が起こったかというと、ド素人が選ばれてしまうようになった。鳩山由紀夫さんみたいな政権担当能力のない人たちが執政官に選ばれるわけです。執政官は目立ちたい人間のための名誉職になってしまい、有名無実化します。

素人政治家に代わって実権を握ったのが、軍の司令官たち――将軍たちでした。軍の司令官はさすがに素人ではまずいので、従来どおり選挙で選ばれました。ということは買収が可能ですので、お金持ちや名門出身の有力者が将軍に選ばれます。

このシステムを作ったペリクレス自身が名門出身で、大金持ち。毎年の将軍選挙でトップ当選を続けました。そのため、「名は民主主義でも実は一人の支配」と言われました。

――政治家が素人なので官僚が権力を握ったどこかの国みたいですね。

この後、また戦争が起こります。今度はギリシアの中の内戦です。ペルシア戦争の勝者であるアテネのギリシア支配に対して、ライバルの都市スパルタが反抗したのです。

アテネは基本的に海軍国です。スパルタは港がない内陸国なので、陸軍が強い。そこでペリクレスは陸では戦わずに海で戦うという戦略をとります。全アテネ市民を城壁の中に立て籠もらせて、スパルタ軍の侵入を防ぐ。自分たちは海に打って出るという作戦です。

ところが、城壁の中に避難民がどんどん入ってきて衛生状態が悪化し、伝染病が流行し

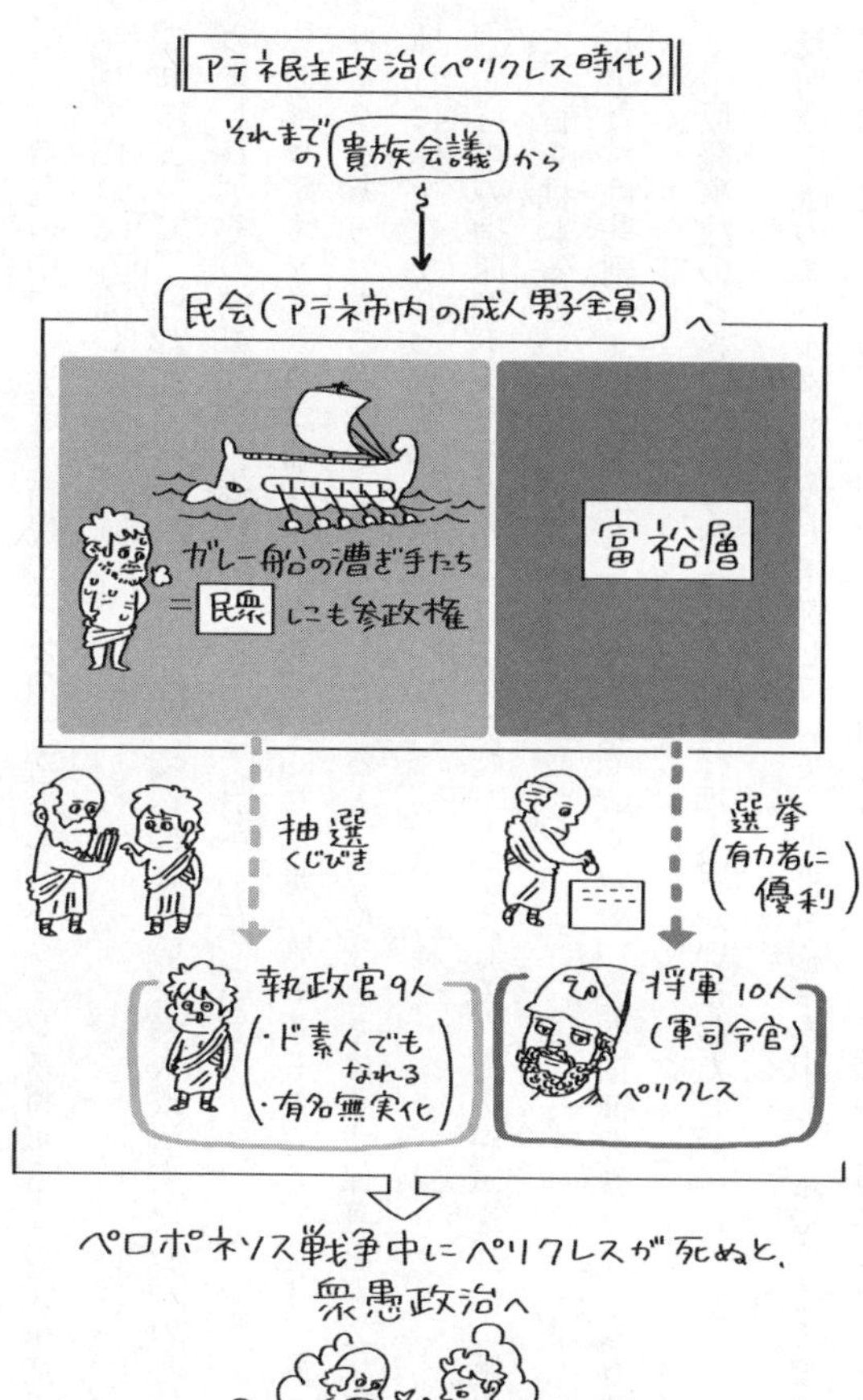
アテネ民主政治（ペリクレス時代）
それまでの貴族会議から
民会（アテネ市内の成人男子全員）へ
ガレー船の漕ぎ手たち
＝民衆にも参政権
富裕層
抽選
くじびき
選挙
（有力者に優利）
執政官9人
・ド素人でもなれる
・有名無実化
将軍10人
（軍司令官）
ペリクレス
ペロポネソス戦争中にペリクレスが死ぬと、
衆愚政治へ

ました。城外はスパルタ軍に囲まれているので逃げることもできません。

結局、城壁の中ではアテネ市民の三分の一が死に、ペリクレス将軍もこの伝染病で戦いの半ばで倒れてしまいました。

これによって、それまでペリクレスに押さえこまれていた素人政治家たちが力を持ちはじめました。その結果、「衆愚政治」にアテネは陥ったのです。

このペロポネソス戦争（前四三一〜前四〇四）は長い戦いでしたから、途中で勝ったり負けたりがある。ある海戦でアテネ軍が敗れると、政治家たちはまず保身を考え、現場の指揮官に罪をなすりつけます。

「〇〇将軍の指揮が下手だったから負けたんだ」と。そして、その将軍を民会で晒し者にして、首をはねるといったことをやったわけです。

将軍たちは些細なミスでどんどん処分されていくので、誰も指揮を執れなくなります。

――原発事故のとき、怒鳴り散らしていた総理大臣がいましたね。

長期戦で敵のスパルタもかなり消耗していて、何度も和平を申しこんでくるのですが、和平交渉に応じると民会で「弱腰だ」と批判される。「こんな講和は呑めない」と強気に出たほうが民衆に支持されるわけです。そのため戦争をやめることができない。結局、アテネは敗北しました。こういう本当に愚劣なことを繰り返したのが衆愚政治です。

こうしてスパルタ・アテネが争っている間に、北方に勃興したのが新興国マケドニアです。この国は民主主義ではなく、オリエント型の国王専制の国でした。

マケドニアの若き王アレクサンドロスが、最後にはギリシアを統一し、ペルシア帝国に攻めこんでいくことになります。

——民主主義が失敗して王政に戻っちゃったんですね。

衆愚政治のアテネに生きたのが哲学者ソクラテスです。この人は、民衆に無知を悟らせ、衆愚政治を批判したんです。そのため、ソクラテス自身が民会で訴えられてしまいます。スパルタとの戦争中に政府を批判するとはなんだ、と。

アテネでは裁判も全部民衆がやりました。民衆裁判です。そこで国家反逆罪で死刑を宣告されたソクラテスは、「悪法もまた法なり」と言って、毒ニンジンを飲んで死にました。

ソクラテスの弟子のプラトンは、アテネの政治に絶望して、城外にアカデメイアという自分の塾を作ります。そこでプラトンは、「民主主義は愚劣だ」と説いたのです。

プラトンの考えはこうです。人間には頭と胴体がある。頭に理性があって、胴体には感情が宿っている。頭が胴体をコントロールしているから人間である。逆に頭が胴体にコントロールされれば、それは獣である、と。

国家も同じであって、国家の頭にあたるのがエリート、知識人、哲学者であり、胴体にあたるのが民衆だ。だから理想の国家というのは、哲学者が民衆を指導する国家である。ところがいまのアテネは逆であって、民衆が哲学者に命令をしている。こんな国が続くわけがない、というのがプラトンの『国家論』です。プラトンがとなえた理想の政治は、哲人政治と言います。

――でもそれって、独裁政治を認めることになりませんか?

哲人政治はいいけれど、誰が哲人かをどうやって選ぶのか、という問題ですね。「人民の代表」を自称する人間が、とんでもない独裁政治を行った例は、いくらでもあります。だからイギリスの首相チャーチルはこう言ったわけです。

「民主主義は最悪だが、他のあらゆる政治体制よりはましだ」と。

次はローマです。アテネと同様、長老たち（貴族）の会議――元老院が政権を担っていました。エリート集団ですね。彼らが選挙で執政官を選んでいた。この体制を英語でレパブリック（Republic）、日本語で「共和政」と言います。ローマの言葉、ラテン語では「レスプブリカ」と言います。プブリカというのは英語のパブリックで、「みんな」のことですね。一人の王でなく、貴族みんなの共同統治という意味です。元老院のメンバーは全部で三百人いました。多数の有力者が合議制でやっていこうという体制です。

それからローマの場合もだんだん平民が台頭してきて、平民だけの民会――平民会を組織したため、元老院との間で対立が起こります。

ローマがアテネと違うのは、イタリア半島から北アフリカへと領土をどんどん広げていったこと。その征服地から入ってくる富を独占し、土地を買い占めたのが、貴族です。貧富の差が拡大すると、平民の側は貴族に対して、「土地を分配しろ」と要求します。けれども、元老院の貴族たちが利権を手放すはずがない。

そこで、平民たちは強力な指導者による土地の分配を求めました。そして、彼らの支持を受けたカエサルという平民派の軍人が、元老院を押さえて独裁権を握るのです。

共和政という言葉が出たので、ここでちょっと整理しておきましょう。

デモクラシー（民主主義）と、リパブリック（共和政）との違いです。

共和政の反対は王政です。みんなの政治に対して、王一人の政治。王政は君主政とも言います。それでは、民主主義の反対概念はなんでしょう？

——独裁政治ですか？

独裁、もしくは専制ですね。

そうすると、共和政←→王政、民主主義←→独裁という二つの軸が生まれ、全部で四つのパターンが考えられることになります。

1. 王政で独裁。専制君主政と言います。エジプトやペルシア、中国の王朝がこれ。

2. 共和政で独裁。共和政末期のローマです。カエサルは王ではなく、民会で終身独裁官という官職に選ばれて独裁を行いました。近代では、清教徒革命の指導者クロムウェルの独裁、フランス革命のときのジャコバン派独裁、ロシア革命以後の共産党独裁がこのパターンです。中華人民共和国はこれですね。

3．共和政で民主主義。古代アテネの民主政治。あるいは、カエサル以前の共和政ローマです。近代では、いちばんわかりやすいのがアメリカ合衆国でしょう。王がいなくて大統領を選挙で選ぶ。

4．君主政で民主主義。これが立憲君主政です。君主権力を貴族会議や議会が制限する体制です。名誉革命以後のイギリスや、明治維新以後の日本の体制です。この体制が始まったのが、帝政ローマの前半なのです。

民会をバックに独裁化したカエサルは、元老院と対立して結局、元老院議員のブルートゥスらに暗殺されてしまいます。

その後、カエサルの養子として権力を継承したオクタヴィアヌスは、暗殺を恐れて元老院とうまく和解をしたいと考えました。歴戦の勇士で、カリスマ的な将軍だったカエサルに対して、オクタヴィアヌスはまだ二十歳前後の若者です。キャリアも力もない。だから本当に元老院のおじさんたちが怖かったわけです。

そこでオクタヴィアヌスは、自ら元老院に乗りこんでいって、頭を下げます。

「私は独裁を望まない。あなた方に統治権をお返ししたい」と申し入れたのです。

ここに元老院との妥協が成立し、元老院とオクタヴィアヌスの共同統治体制になった。このとき元老院が、オクタヴィアヌスに新しい称号を与えました。「アウグストゥス（尊厳者）」という称号です。この称号は彼の後継者たちにも授与されます。

この「アウグストゥス」がのちに「ローマ皇帝」と訳されるのですが、本当はこの訳はおかしい。元老院と共同統治するのですから、秦の始皇帝みたいな独裁的な皇帝ではないでしょう。

「アウグストゥス」にいちばん近いのは、実はアメリカ大統領なんです。選挙で選ばれて、議会と共同で統治する、というのはまさにアメリカ大統領です。

アメリカの議会の上院を「Senate（セネト）」と言います。これはラテン語のセナートゥス、ローマの元老院のことです。アメリカの上院はいまも「元老院」なんですね。つまり、アメリカ合衆国を作った人たちは、ローマ帝国の体制を真似したわけです。

ローマ帝国はいかに衰亡し、教会の支配が始まったか

その後、ローマの領土はどんどん広がっていきます。ローマ本土はイタリア半島ですが、全地中海全域がローマの属州（植民地）となります。

二世紀の五賢帝時代と呼ばれる全盛期にはライン川、ドナウ川、小アジア、シリア、エジプト、北アフリカまでがローマになりました。その外側には敵がいます。北のゲルマン人、東のペルシア帝国です。この長い国境線を守るために、多くの兵隊を必要とします。たとえばペルシア帝国が、属州シリアに攻めこんできたときにどう守るか。イタリア半島の人をかき集めて国境まで出ていくのか。だいたいイタリア半島が日本列島の大きさですから、いかに遠いかがわかるでしょう。当然、「本土」の人たちは戦争に行くのを嫌がります。

仕方がないので、属州の諸民族を臨時にローマ兵として雇うようになります。傭兵(ようへい)です。彼らには武器・食糧を支給し、退役後にはローマ市民権を与える、という条件でした。ローマ市民権を持つことは、当時はすごい名誉でしたから、みんな頑張ります。

同じようなことをいまやっているのがアメリカです。アメリカは世界中に軍事基地を置いていて、兵隊が足りない。どうしているかというと、アメリカに入ってくる発展途上国からの移民に「兵役についたらグリーンカード（永住権）を与える」と言って兵士を集めている。だから訓練の厳しい海兵隊には白人は少なく、中南米からの移民（ヒスパニック）がいっぱいいるというようなことが起きているわけです。

ローマの正規軍も、五〇％は属州民が占めていました。エジプト人とか、ゲルマン人のローマ兵もいたのです。彼らは兵役を終えると晴れてローマ市民になれたのです。参政権があるので、いつでも民会に行って投票できる権利がある。

一方、政治システムは変わっていません。市民はローマの広場に集まって、選挙で官職を選ぶ。

それでは、エジプトに住む属州民はどうやって選挙に参加すればいいのか？

――飛行機も鉄道もなかったし、ローマへ行くのは難しいですよね。

そうなんです。実際には参政権を行使できない。

結局、彼らの市民権というのは、もらっても使えない市民権なんです。そうすると属州の不満が高まってきます。

その結果、属州民たちが、地元で勝手に選挙をするようになります。たとえばエジプトのローマ軍兵士が「俺たちの司令官を次期ローマ皇帝に」という具合に勝手に選出する。同じことが各地で起こります。在日米軍や在韓米軍が、勝手にアメリカ大統領を選出するわけです。

そうすると、同時期に各属州で複数のローマ皇帝が選出され、争うというめちゃめちゃなことになります。こうして始まった内乱の時代を、軍人皇帝時代と言います。

つまり、もともと都市国家の体制だった選挙で代表を選ぶというシステムを、巨大な帝国でやるのはそもそも無理があった。だから内戦を収拾したディオクレティアヌス帝は、政治のやり方を変えることになりました。都市国家のやり方はもう無理だとわかったからです。

他の大国、たとえばペルシア帝国はどうやって指導者を選んでいるかを見てみると、選挙なんてしてない。ペルシア王の息子が自動的に次のペルシア王、という世襲体制です。

では、なぜペルシアでは世襲が成り立つかというと、王の祖先が神から王権を授かったからだという。本章の最初に述べたオリエント型の神権政治です。

ディオクレティアヌス帝は、ローマ帝国にもこれを導入します。ローマの神々からローマ皇帝権を授かったのだ、皇帝を神々の一人として崇拝せよ、と言い出しました。これを専制君主政と言います。アメリカ大統領みたいだったローマ皇帝が、オリエント的、あるいは中国的な専制君主に変貌(へんぼう)していくのです。

このやり方を導入しようとしたとき、ちょうど広がってきたのがキリスト教でした。前章でお話ししたように、彼らは一神教です。イエス・キリストしか神とは認めません。彼らは皇帝崇拝を拒否します。そのため、皇帝はキリスト教徒を反逆者と見なして殺戮(さつりく)します。

ところが、殉教(じゅんきょう)を天国への道と見なすキリスト教徒は、死を恐れません。ディオクレティアヌス帝の暴力による迫害は失敗に終わりました。以後の皇帝たちは、キリスト教徒に妥協するしかない。妥協に舵(かじ)を切ったのがコンスタンティヌス帝です。

彼はそれまでのローマの古い神々も認めつつ、キリスト教も認めるミラノ勅令(三一三)を発布します。キリスト教徒に対しては、「私をキリストの代理と思え」と言った。つまり、ローマ皇帝権はイエスから授かったと思ってくれということです。こうすれば、キリスト教とローマ皇帝権は矛盾しなくなります。

この考え方は、次章で説明する王権神授説につながります。

ところが、キリスト教は一神教なので他の宗教を認めません。キリスト教徒は「古い宗教は残すな、全部破壊しろ」と要求します。テオドシウス帝は古い神々への信仰を全部禁止して、神殿も破壊します。こうしてキリスト教がローマの国教になり、多神教は根絶されたのです。ギリシア以来の古い神殿は廃墟となり、あるいはキリスト教会として改造されました。

——広大な領土を統一するにはそれしかなかったんでしょうか。

一神教は排他的ですので、帝権の強化、帝国統一には役に立ちますね。

ローマの財政破綻とカトリックの誕生

同じ頃に、ローマは財政が破綻します。傭兵に頼っていたので、お金がなくなると兵隊が集まりません。そうすると異民族がどんどん入ってきてしまうことになります。

ローマが衰退した理由は経済です。ギリシアと同じく、ローマはブドウ酒やオリーブ・

オイルを作って属州に売ることで利益を得ていました。ところが長い統治の間に、属州の文明が開けてきます。たとえばいまのフランスは当時ガリアと言いました。ガリア人たちもローマ人の真似をしてブドウ酒を造りはじめる。そうすると、イタリアで造ったブドウ酒がもうガリアでは売れなくなる。つまり、いままでは工業製品を売って穀物を買っていた、その経済構造が成り立たなくなる。

属州の台頭によってイタリアが地盤沈下していくというのは、一九九〇年代以降の日本みたいなものです。一九八〇年代ぐらいまで、日本の工業製品はアジアでナンバーワンでした。アジアの国々はメイド・イン・ジャパンをありがたがって買っていた。そのあとに何が起きたかというと、台湾で、韓国で、シンガポールで日本の真似を始めたんですね。パソコンを台湾で作り、携帯を韓国で作るようになる。すると、日本の企業が地盤沈下していった……。

こうしてローマ帝国の中心であるイタリアの経済が衰えていく一方、ギリシアのほうは穀物の交易がずっと続いたので、けっこう経済が活性化します。経済が衰えた西半分にゲルマン人が入ってきますが、東半分はなんとか保って、ゲルマン人の侵入を防ぐことができた。

こうして残った東半分を東ローマ帝国と言います。西ローマ帝国は侵入してきたゲルマン人たちが勝手に国を建てたため、空中分解してしまいます。

これにともなって、キリスト教も東西に割れました。東ローマ帝国の都は黒海の出口にあるコンスタンティノープルです。ここを中心とするギリシア正教会は、キリストに代わって地上を治める東ローマ皇帝に保護されます。

ところが西のほうは、帝国が解体して皇帝がいません。つまりキリストの代理人がいなくなってしまった。では、誰が教会を支配するのか。ここで出てくるのがローマ教皇です。ローマ法王とも言いますね。

――ローマ教皇って誰ですか？

イエス・キリストにはお弟子さんが十二名いて、十二使徒と言います。そのまとめ役だったのがペテロという人です。

イエスがエルサレムで処刑され、殉教してから三十年後、ペテロも捕まって、ローマ皇帝ネロによって処刑されます。ローマ市の西にあるヴァチカンの丘には、ローマ皇帝のスタジアムがありました。そこでペテロは公開処刑され、地下に葬られたのです。

こうしてヴァチカンはキリストの殉教地エルサレムに次ぐ第二の聖地になります。ペテロはいまでもヴァチカンの地下に眠っていて、その上に建てられたのがサン・ピエトロ大聖堂です。ローマ教皇がいるカトリック教会の総本山です。

そして、この教会を守ってきたお坊さんのことをローマ教皇と言います。イエス↓ペテロ↓歴代のローマ教皇が、キリスト教会の最高指導者だ、という考え方です。

西ローマは滅んでも、ローマ人がいなくなったわけではありません。侵入してきて国を建てたゲルマン人たちは、征服者ではあるけれども少数民族でした。したがって、ゲルマンの王たちは人口の多数を占めるローマ人たちをうまく手なずけないと国が治まりません。

ローマ人たちが心の支えにしているのがローマ教皇です。そこでゲルマンの王たちは、ローマ教皇の前で跪(ひざまず)いて「おまえを王と認める」と教皇に言ってもらうと、統治がうまくいく。

――前にも似たような話ありましたね。トルコ人の王がアラブ人のカリフから任命される……。

いいところに気がつきましたね。日本の天皇と将軍の関係も同じです。

さて、ローマ教皇に跪いて王として認めてもらう、というやり方をうまく使ったのがゲルマンの中のフランクという部族です。もともと北フランスに建国し、じわじわと広がって現在のフランス、ドイツ、イタリアを統一した。フランク王のカールは、ローマ教皇の前に跪いて帝冠を被せてもらった。これをカールの戴冠（八〇〇）と言います。

ゲルマンの部族長という軍事指導者と、ローマ教皇という宗教指導者が手を組むことによって、新しい国家が生まれたわけです。

政教分離ができた国、できなかった国

この頃、東からはアラブ人が侵入します。ムハンマドの後継者、カリフが率いるイスラム教徒はササン朝ペルシアを滅ぼし、東ローマ帝国からシリア、エジプトを奪います。さ

らに北アフリカ、そしてイベリア半島まで入ってきます。これがアラブ帝国です。

東ローマ帝国は、もともとの領土の約三分の二をとられてしまいました。残っているのはギリシアの周りだけです。こうなると、東ローマというのは名前だけで、全然ローマではない。ギリシアです。当然、歴代東ローマ皇帝は全部ギリシア生まれです。そのうち彼らはローマのラテン語を忘れてしまって、ギリシア語を使うようになっていった。そのギリシア化した東ローマのことをビザンツ帝国と呼びます。

これでだいたい中世ヨーロッパのかたちが決まりました。南がイスラム世界で東がビザンツ帝国です。西がフランク王国とその後継国家。

ビザンツのキリスト教はギリシア正教でしたが、ローマ教皇を中心とする西のキリスト教をなんと言うか。これはわかりますか?

――カトリック教会ですか?

そうです。「カトリック」という言葉は、ユニバーサル、世界共通という意味です。だから本当は全部カトリックにしたい。でも、東のほうが言うことを聞かない。逆にギリシア正教のほうは「オーソドックス」と言います。両方とも自分こそが正統と言っているわけです。

正教とカトリックは、教義の面では「神様の代理をするのは誰か」で異なります。正教の場合には東ローマ皇帝、ビザンツ皇帝が神の代理人です。だから皇帝が教会を支配します。具体的に言うと、教会のお坊さんを皇帝が任命できる。政治的権力が教会を支配できるので、政教一致です。これは古代ローマからの伝統です。

西のほうはローマ皇帝がいなくなってしまったので、その代わりをやったのがローマ教皇です。神の代理人のローマ教皇が教会を支配します。

そこで問題なのは、フランク王の立場です。

フランク王は、地上の権力者です。地上の権力者であるフランク王が、神の代理人ローマ教皇の手で戴冠するという構造です。ということは、政治権力と宗教権力は別、つまり政教分離です。これが西ヨーロッパの特徴なんです。

この違いは重要です。政教一致ですと、国家権力が人の心まで支配することになる。ということは、誰も国家権力に逆らえない。これはウルトラ独裁体制になります。

これに対して、政教分離だと時の権力者とは別に宗教的権威があるということになる。もし時の権力者が暴君だったときには、神の名においてこれを打倒することができる。ですから、政教分離は独裁防止になるということです。

先ほども指摘してもらったように、この政教分離体制というのは他の世界にもあります。たとえばイスラムでは、トルコ人のスルタンはカリフの前で跪いて、スルタンに任命された。もしそのスルタンが悪政をすれば、倒されてしまう。

日本は古代までは政教一致でした。天皇は太陽神アマテラスの後継者という宗教権威であり、同時に軍事指導者でもあった。ところが中世になると、武家が台頭して平清盛とか源頼朝といった指導者が出てきて、天皇から太政大臣や征夷大将軍に任命されるようになります。これは政教分離ですよね。ですから、幕府がだんだん腐敗してしまったときには、天皇の名においてそれを打倒するということが繰り返されてきた。幕末の尊王討幕運動がこれです。

それでは、逆に政教分離ができない国はどこか。まず、いま話したビザンツ帝国です。ビザンツの体制は、このあとロシアに移されます。ロシア正教です。ビザンツ皇帝の地位にあたるのがロシア皇帝です。これがロシア帝国の恐るべき独裁の基盤になりました。

もう一つは中国です。中国の皇帝というのは「天子」ですから、誰も批判できません。これも独裁を育ててきました。

政教一致の国というのは、必ず宗教弾圧をやります。反体制派の宗教が、国教を脅かすからです。中国共産党政権が、チベット仏教やイスラム教、法輪功という新興宗教をむきになって弾圧するのは、共産主義という疑似「国教」を守りたいからです。

政教分離ができたかできなかったかが、その後の歴史を分けたということですね。日本史とヨーロッパ史が似てくる理由の一つは、たぶんここにあります。

封建制と聖俗の争い

少し話を戻しましょう。ローマという巨大国家が崩壊していく過程で、まず起こったことは治安の悪化でした。盗賊が横行して、異民族の侵入が繰り返されるようになります。その中で、人々は自分たちの生命・財産をどうやって守るかを考えます。国家が守ってくれない以上、自分の身は自分で守るしかない。正当防衛ですね。そうなると、力がある人はいいですが、力のない人は殺されておしまいです。

そこで、力がない者が、力がある者に対して自分の財産を寄付する。その代わり守ってもらう、という上下関係が生まれました。これが前にも話した、ヨーロッパの封建制の始まりです。だいたいフランク王国の時代にヨーロッパの封建制は固まっていきました。

主君と臣下が契約を交わし、主君は臣下に土地を与え、この土地を封土「フュード(feud)」と言います。その代わりに臣下には軍事奉仕（軍役）を要求する。このように封土の授与で結ばれた主従関係をフューダリズム feudalism と言います。

これを日本の学者が、周の封建制に似ているというので「封建制」と訳したわけです。ですから、中世ヨーロッパの国というのは、王様が全土を持っているわけではなく、各地方に小さなボス——諸侯がいて、その地域を仕切っている。その親分同士が親分・子分関係を持っていて、いちばんトップに王がいる。主従の契約関係でゆるやかにつながっているだけです。こういう話はたぶん、治安が乱れた社会では世界中どこにでもあるでしょう。

——なんだかヤクザの世界のようですが。

わかりやすく言うとそうなります。そしてこの親分・子分のネットワークを支えていたのは、物理的な力、腕力だったわけです。

しかし、この秩序とは別に教会の秩序があります。教会の聖職者が持っている力は、キリスト教というスピリチュアルなパワーですね。

キリスト教はユダヤ教から分かれましたので、基本的な構造は同じです。世界には始まりと終わりがある。終わりの日には、神がお姿をお現しになって全人類を裁く。これを「最後の審判」と言います。このとき、正しきキリスト教徒は天国に行ける。異教徒や間違った考えを持ったキリスト教徒、これを「異端」と言いますが、こうした者たちは地獄に落ちる、という話です。

『新約聖書』の中のいちばん最後の部分に「ヨハネの黙示録（もくしろく）」という書があります。ここには最後の審判がどのように始まるか、ということが書いてあります。ヨハネという人が世界の滅亡を幻として見るわけですね。

この黙示録によると、最後の審判が起こる前に千年間、キリストが地上を支配すると。これを「キリストの千年支配」と言います。そしてその千年支配の終わりに異民族の侵入が始まる。これが始まるとイエローカードです。もうすぐ恐ろしい裁きが始まるぞ、ということですね。

カトリック教会は、キリストの千年支配を「イエス・キリストが地上に姿を現してから千年」と考えました。つまり、イエスの生誕を元年とするキリスト暦（西暦）で一〇〇〇年頃に、世界の終わりが始まるということです。

西暦九〇〇年代には、本当に異民族の侵入が起こります。北方のデンマーク・スウェーデンからノルマン人が侵入してくる。いわゆるヴァイキングですね。

東方のロシア方面からは、マジャール人という遊牧民が侵攻してきます。いまのハンガリー人です。彼らはキリスト教徒を恐怖のどん底に陥れます。まさに黙示録の預言が成就(じょうじゅ)しつつある、と彼らは考えたのです。

最後の審判で救われるのは正しいキリスト教徒だけです。それでは、どのキリスト教徒が正しいかというのは、教会が決めるんです。

また、重大な罪を犯して教会から「おまえはもはやキリスト教徒ではない」という宣告を受けることがあります。これを「破門」と言います。破門された人間は異端者と同じで、地獄行きの片道切符をもらったようなものです。キリスト教徒は肉体の死を恐れませんが、魂の死——魂を地獄に落とされることを恐怖します。

——それを決めることができた教会は、絶大な力を持っていたことになりますね。

これが理解できないと、これからお話しする叙任権(じょにんけん)闘争も十字軍も理解できません。

フランク王国は、しばらくすると三つに分かれます。フランスとドイツとイタリアです。その後ドイツ・イタリアが一つになり、ドイツ王がローマ教皇の手で戴冠して「神聖ローマ皇帝」と称します。「聖なるカトリック教会を守る帝国」という意味です。そしてこの神聖ローマ帝国の中に、また地方の諸侯たちがいっぱいいるわけです。古代ローマ帝国とは違い、皇帝が直接全土を治めているわけではない。諸侯連合体の上に乗っかっているだけです。

そこで神聖ローマ皇帝は、古代ローマの皇帝のような強力な権力を握りたいと考えます。これに反抗する諸侯たちを押さえこむためにはどうするか。そこで皇帝は教会を利用するのです。

カトリック教会は西ヨーロッパ全体に存在し、聖職者はラテン語の読み書きができ、信者から土地を寄進されて、領地（荘園）も持っている。そして治安が悪いので武装もしています。日本で言うと僧兵のようなものです。

そこで神聖ローマ皇帝は、教会が持つ情報・資金・軍事力を味方につけることによって諸侯に対抗しようとします。どうやって教会を味方につけるかというと簡単です。カトリック教会では聖職者は結婚できません。だから偉いお坊さんが亡くなればそのポストは空席になる。皇帝は、そこに自分の一族や臣下を任命します。「おい、おまえ、○○司教になれ」と。

たとえば初代皇帝のオットー一世が、自分の弟をケルン大司教に任命します。皇帝が他の諸侯と戦うときには、弟のケルン大司教がお兄さんの援軍に来る、ということになります。

――ずいぶんいい加減ですね。

さらには、一度手にした司教の地位をわが子に継がせたいと考え、ひそかに愛人を囲って子供を産ませ、「父親がいないのはかわいそうだから」といった名目で、その子（実子）を養子として引き取り、跡を継がせるといったこともするようになります。

こうして、皇帝が教会を利用したせいで、政治利用された教会はどんどん腐敗していきました。聖書も読めない、まともな説教もできない、愛人を囲い、戦(いくさ)ばかりしているインチキ坊主が増えたのです。

根本原因は、皇帝が聖職者（司教）を任命する――これを叙任権と言います――ことでした。そこで教皇グレゴリウス七世が命令します。

「今後、皇帝による司教の任命は認めぬ」と。

こうして、教会の支配をめぐるローマ教皇と神聖ローマ皇帝の争い——叙任権闘争が始まったのです。皇帝ハインリヒ四世は、ドイツ諸侯を動員してローマへ進軍、教皇グレゴリウスはローマから逃げ出します。

——軍事力を握っている皇帝の圧勝ですね。

でもここで教皇は、「神の代理人」としてスピリチュアルな力を使ったのです。教皇グレゴリウスは、「ローマ教会に対して弓を引いた皇帝を、破門する」と言ったのです。

破門された人間は地獄行き。キリスト教徒との交際も禁じられます。親子兄弟は離縁、夫婦は離婚、封建制の主従関係も解除されます。皇帝が破門されれば、皇帝に仕えていた臣下が臣下でなくなり、諸侯たちも命令を聞かなくなるのです。これで皇帝は何もできなくなりました。

愕然(がくぜん)とした皇帝ハインリヒは、破門を解いてもらうため教皇のもとに謝罪に訪れます。教皇が滞在中のカノッサの城門前で、雪の中、三日間立ちつくし、ようやく破門を解かれたのです。この事件を「カノッサの屈辱」（一〇七七）と言います。
カノッサの屈辱は、教皇権が皇帝権（王権）をねじ伏せた象徴的な事件でした。実際にカトリック世界の最高権力を握っているのが誰か、ということを誰の目にも明らかにしたのです。

十字軍と三圃制――ヨーロッパによる世界支配の始まり

その二十年後（一〇九六）に、十字軍が始まります。

――イスラム教徒から、聖地エルサレムを奪回する戦いですね。

表向きはそうですが、隠された動機があるんです。
叙任権闘争で、ローマ教皇は神聖ローマ皇帝（ドイツ王）をねじ伏せましたが、実はキリスト教世界にはもう一人、皇帝がいたのです。ビザンツ（東ローマ）皇帝です。ギリシア正教会ではビザンツ皇帝を神の代理人と考えますので、ローマ教皇の権威を認めません。東西教会の対立は激化し、ついには相互破門に至ります。互いに相手を異端扱いしたわけです。

しかし、トルコ人（セルジューク朝）の小アジア侵入によって崩壊の危機に陥ったビザンツ帝国は、ローマ教皇に援軍を要請したのです。

「キリスト教徒同士の争いはやめ、イスラム教徒に立ち向かおう……いや、援軍頼む」と。

ローマ教皇から見れば、敵のビザンツ皇帝が援軍を求めてきた。これを助けてやる代わりに、教皇の至上権をギリシア正教会にも認めさせよう、という魂胆です。

教皇ウルバヌス二世は、フランス諸侯を集めて呼びかけました。

「世界の終わりが迫るいま、異教徒が聖地を汚している。諸君が立ち上がって聖地エルサレムを奪回すれば、諸君の魂は必ず天国に導かれよう。神がそれを欲し給う！」と。これにみんなが熱狂して十字軍が始まったのです。スピリチュアルな力によって実際に軍隊が動いた、これが中世のおもしろいところです。

狂信者の群れである十字軍は、異教徒と見れば殺し、奪い、破壊しました。エルサレムではイスラム教徒とユダヤ教徒の住民を虐殺し、ギリシア正教徒にまで襲いかかりました。殺しのプロである騎士たちに続いて、「魂の救済」を得たい庶民も武器をとって十字軍に参加します。これら烏合(うごう)の衆はイスラム教徒軍に粉砕され、生き残りは奴隷として売り飛ばされました。エルサレムもエジプト軍に再占領され、聖地奪回は一瞬の夢に終わります。

その一方で、イスラム世界の富に幻惑されたイタリア商人たちが、エジプトやシリアで密貿易を始めます。中国の絹織物、インドの香辛料や宝石がヨーロッパにもたらされ、地中海をつなぐ貿易ルート——東方貿易が開通します。この貿易をめぐって、北イタリアの都市国家ジェノバとヴェネツィア、ビザンツの都コンスタンティノープルが激しく争うようになります。

第四回十字軍で海上輸送を引き受けたヴェネツィアは、エジプトへ向かう大艦隊を東へ向け、コンスタンティノープルを占領しました。ビザンツ帝国の猛抗議に対し、教皇は「ギリシア正教会は異端だ。これを攻めても罪ではない」と開き直ります。

——もう、何がなんだか……。

十字軍が始まったのが一〇九六年です。ところが一一〇〇年になっても一二〇〇年になっても、最後の審判が始まらない。おかしいんじゃないかという話になりました。

それでもローマ教皇に破門で脅迫された各国の王たちは、莫大な軍資金をかけて遠征に行きます。それがだいたい失敗に終わってくるわけですから、次第に「もう付き合っていられない」という雰囲気になってきます。

一三〇〇年を過ぎると、王たちはローマ教皇に対して反逆を始めました。いちばん最初に反逆したのがフランス王のフィリップ四世という人です。

それまでローマ教皇はフランスの教会にも課税していました。

ところがフィリップ四世は、今後フランス国内の教会にはフランス王が課税する、ローマ教皇の課税は認めぬ、と命じたのです。ローマ教皇を怒らせると何が起こるか……。

――もちろん破門ですよね。

破門されて何が困るかというと、臣下が自分を見捨てることだ。もしフランス人が自分を見捨てなければ、破門されてもなんの問題もない、とフィリップ王は考えました。

そこで彼は、パリに最初の三部会を召集します（一三〇二）。全フランスの聖職者、貴族、そして市民の代表を集めた、フランス最初の議会ですね。

フィリップ王は、もし自分が破門されても三部会が味方につくということを確認した上で、教皇に喧嘩を売ったわけです。フランス軍がローマに派遣され、逃げまわる教皇をアナーニという町で逮捕し、このとき兵士が教皇を殴ったりもしている。ご高齢の教皇は、ショックで発作を起こして死んでしまいました（アナーニ事件）。教科書には「憤死（ふんし）」と書いてあります。ここで初めて、フランスの王権が教皇権をねじ伏せたのです。

このあとは坂道を転がるようにローマ教皇の権威は衰えていって、とどめを刺したのがルターとカルヴァンの宗教改革です。これについては次の章で述べましょう。

そのフランスのライバルだったのがイギリスです。

そもそもイギリスの王様というのは、ノルウェーにいたノルマン人、ヴァイキングとも呼ばれた海賊です。それが北フランスのノルマンディーに勝手に国を作った。その後イギリスに攻めこんで、先住民のアングロ・サクソン人を征服し、イギリス王になったのです。

ですからイギリス王の領地は、いまのイギリスの南半分（イングランド）と北フランスのノルマンディーにありフランス語をしゃべっていたのです。その後もフランス諸侯との結婚で領土を拡大し、最盛期にはフランスの西半分全部がイギリス領でした。フランス王は、何百年もかけてこのイギリスの大陸領土を少しずつ奪い取っていったのです。

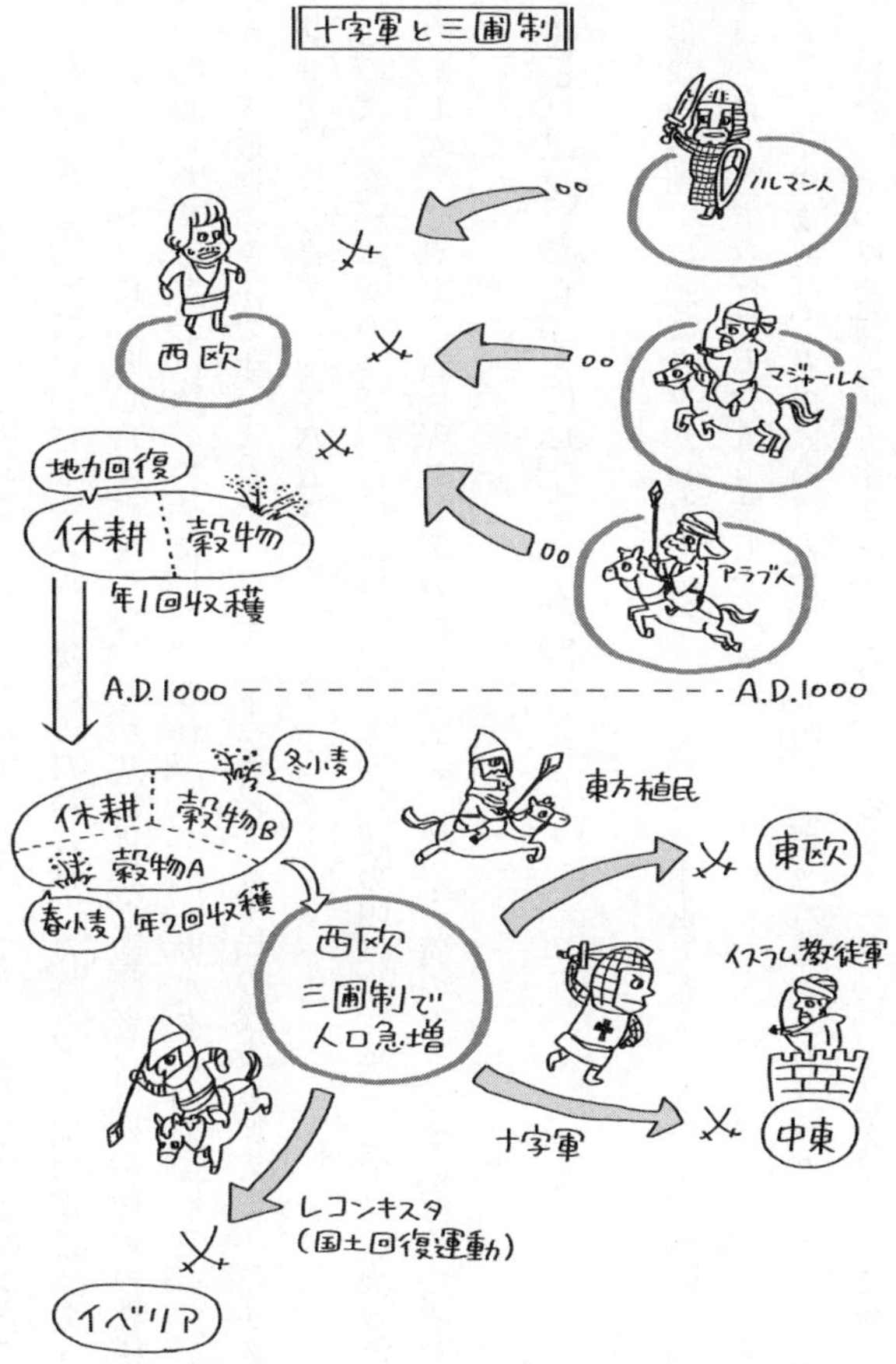
十字軍と三圃制
ノルマン人
西欧
マジャール人
アラブ人
地力回復
休耕
穀物
年1回収穫
A.D.1000
A.D.1000
冬小麦
休耕
穀物B
穀物A
春小麦
年2回収穫
東方植民
東欧
西欧
三圃制で
人口急増
イスラム教徒軍
十字軍
中東
レコンキスタ
(国土回復運動)
イベリア

イギリスからすると、この対フランス戦争が延々と続いて、そのたびに金がかかる。そこで税金を集めなくてはいけない。税を集めるためには、貴族たちの協力が必要です。ジョン王がフランスに大敗したのに乗じて、イギリス貴族と聖職者たちは、彼らの課税承認権を明記した文書を王に認めさせました。これがマグナ・カルタ（大憲章）（一二一五）、イギリス最初の憲法です。さらに、騎士（下級貴族）、市民の代表も加えてイギリス最初の議会を開催します（一二六五）。

このような経緯があって、だいたい十三〜十四世紀の頃には、英・仏では議会政治が始まりました。これが、古代ギリシアの民会と並ぶ、民主主義のもう一つの源流です。

世界は終わらずに始まった!?

「最後の審判」は始まらなかったものの、ヨーロッパ中世の歴史にとって、西暦一〇〇〇年はやはり大きな区切りになりました。

九〇〇年代までは、異民族の侵入によって西ヨーロッパはサンドバッグのようにボコられていた。その中で封建制も生まれました。ところが、一〇〇〇年頃を境にして流れが急に変わります。ヨーロッパは強くなり、逆に周りに打って出るようになるのでした。それが十字軍であり、ドイツ人の東方植民であり、イベリア半島におけるレコンキスタ（国土回復運動）でした。

――なぜ西ヨーロッパは急に強くなったんですか？

人口が劇的に増えたからです。

その背景には、農業の変化がありました。二圃制から三圃制への変化です。

ヨーロッパは土地が非常に痩せていて、雨が少ない。一度畑を作ったら、しばらく土地を休ませて地力の回復を待たなくてはいけません。土地を二つに分けて一方では穀物を作り、もう一方は休耕地にしていました。これが二圃制です。「圃」はフィールド、畑という意味です。

二圃制では土地の半分は使えないということになります。これは無駄が多い。

一〇〇〇年頃広まった三圃制では、土地を三つに分けます。そのうち一つは休耕地にして、残りの二区画では春小麦、冬小麦を育てるのです。二圃制では年一回の収穫だったのが、年に二回になりました。こうして飢饉が起こらなくなり、子供がどんどん増えます。

その子たちが成長してくると、畑をどう分けるかという問題が生じます。小さな土地を五人兄弟に五分割したら、みんな飢え死にします。そこで、長男に全部継がせ、次男坊以下は村から追い出す。行き場を失った若者たちは、土地を求める。そこにローマ教皇の呼びかけがあります。

「十字軍に行け。異教徒の土地や財産を奪い取れば、魂も救われるぞ」と。

こういう経済的な事情もあって、西ヨーロッパの拡大が始まったのです。

ドイツ人は東方植民を進め、バルト海沿岸のプロイセンやバルト三国に入植して新たな都市を築き、ハンザ同盟という通貨・軍事同盟を結んでバルト海の貿易を独占します。この頃、建設されたベルリンという町は、のちに統一ドイツの首都となります。

イベリア半島における対イスラム戦争――レコンキスタも大成功して、そのとき生まれた国がスペインとポルトガルです。この両国はそのまま海に出ていき、アフリカ・アジア・新大陸のカトリック化を計画します。こうして始まったのが大航海時代です。

大雑把(おおざっぱ)に言えば、ヨーロッパによる世界征服はここから始まったのです。

皮肉なことに、こうした動きが始まったのが、「世界が終わる」と言われていた一〇〇〇年頃だったわけです。

［第4章］

近代ヨーロッパを理解する

宗教改革が資本主義を生んだ

中世の西ヨーロッパを支配したカトリック教会の教えを公然と批判したのが、ドイツのルターとスイスのカルヴァンです。新教徒とか、プロテスタント(抗議者)とか呼ばれる彼らの思想が、近代社会を生み出したのです。

キリスト教の基本的な思想は、神様と人間が契約を交わすということでしたね。善いことをすれば最後の審判で救われるという約束です。

ところが、神様というのは姿が見えない。話もできません。そこで、神様の代理人が必要になる。それが教会の聖職者であり、その指導者であるローマ教皇である、というのがカトリック教会の説明です。

そして、「どんな罪びとも、善い行いをすれば救われる」と教えます。

――善い行いって、何をすればいいんですか?

日曜日に必ず教会に行ってありがたいお説教を聞く。自分の罪を告白して、懺悔する。

そして、教会にお賽銭を寄進するわけです。貴族や大商人は教会に土地を寄進したりもしました。

もう一つ、一生に一度は聖地巡礼に行くこと。聖地というのはイエス様の墓のあるエルサレム、ペテロ様の墓のあるローマのことです。スペインのサンチャゴには、十二使徒の一人であるヤコブ様の墓もある。これがキリスト教の三大聖地です。エルサレム奪還を目指した十字軍は、実は武装巡礼団だったんですね。

もう一つ、教会は贖宥状（免罪符）というお札を売っていました。罪をあがない、神に赦しを請うお札です。ローマ教皇のサインが入っていて、これを買うと聖地巡礼と同じ効果があると言われました。カトリック教会は、この贖宥状をべらぼうな値段で売りつけたのです。

教会に対して善いことをすれば、要するにお金を払えば救われる、というこの考え方を批判したのが、ドイツのマルティン・ルターという学者です。

ルターは言いました。

「神は金を受け取らない。金を受け取るのはカトリック教会の聖職者たちだ。本当に神の救いを求めるのなら、ただ信仰せよ」と。

「一心に神を信じ、救いを求める者は、たとえ無一文でも救われる。逆に、贖宥状を何十枚も買うことができても、神を疑う者は、救われない」と言ったんです。

この考え方を「信仰義認説」と言います。

さらにルターは、「教会は神を代理できない」と言いました。「一人ひとりが神様と向き合わなければいけない」と。この考え方を万人祭司主義と言います。

ルターは『新約聖書』をドイツ語に翻訳しました。それまで聖書は教会にしかなく、しかも古代ローマの言葉、ラテン語で書いてあったために、一般庶民には読めなかった。だから聖書の内容を知ろうと思ったら、カトリック教会に行って聖職者に読んでもらわなければならなかったわけです。

ルターは聖書を庶民の言葉、つまりドイツ語に訳しました。この聖書を一家に一冊持っていれば、別にカトリック教会へ行かなくていいじゃないかという考えです。これがルターの始めた宗教改革です。

もう一人、スイスではカルヴァンというフランス人が宗教改革を始めます。

カトリックは論外だし、ルターもまた間違っている、と言ったのがこの人です。

カトリック教会は、罪びとも善いことをすれば神様は救ってくれるという。ルターは、罪びとも悔い改めれば神に救われるという。どちらも、人間が何か働きかけることによって神様が決定を変える、という点は共通しているわけです。

――なるほど。頑張れば認めてもらえる余地がある。

ところが、カルヴァンは「神は一方的に裁く」と言います。この天地万物、宇宙を作りたもうた絶対的な存在である神があらかじめ定めたことを、人間一人の意志で変えられるはずがない。この考え方を「予定説」と言います。

だとすると、罪びとは救われません。一度罪を犯したらもう何をやってもダメ。あきらめて地獄に行くしかない。

――なんだか、救いがないですね……。

いや、初めから罪を犯さなければいい、ということです。

罪にはいろいろあります。もちろん人殺しや盗みは罪です。さらに、贅沢（ぜいたく）とか、欲望に身を任せることもいけない。食欲や性欲は全部罪です。

ですから、カルヴァンは禁欲しろと言います。では、欲望を避けるためのいちばんいい方法とは何か。一生懸命働くことです。忙しくしていれば、変なことを考えずに済みますから。働きづめに働いて、疲れきってベッドで倒れるように寝てしまうのがいちばんいい。そうすれば一生清らかに生きられる、というのです。

こういう生活を続けたらどうなります?

――息が詰まりそうですが……お金は貯まりそうですね。

そう、一生懸命働くとお金が貯まってしまうんです。カトリック教会は、お金を貯めることも罪だと言っていました。だから人々は悩みます。

「カルヴァン先生の言ったとおり、真面目に生活していたら、こんなに金が貯まってしまった。私は罪びとです!」

カルヴァンは答えます。

「その金を使って贅沢をすれば罪である。しかし、禁欲を続け、その金をまた仕事に投資すれば罪ではない」

たとえば新しい店を開く、新しい工場を作るといったことに投資せよ、と。

結果としての蓄財は罪ではないし、投資を積極的に勧める。この点が、蓄財を罪と見な

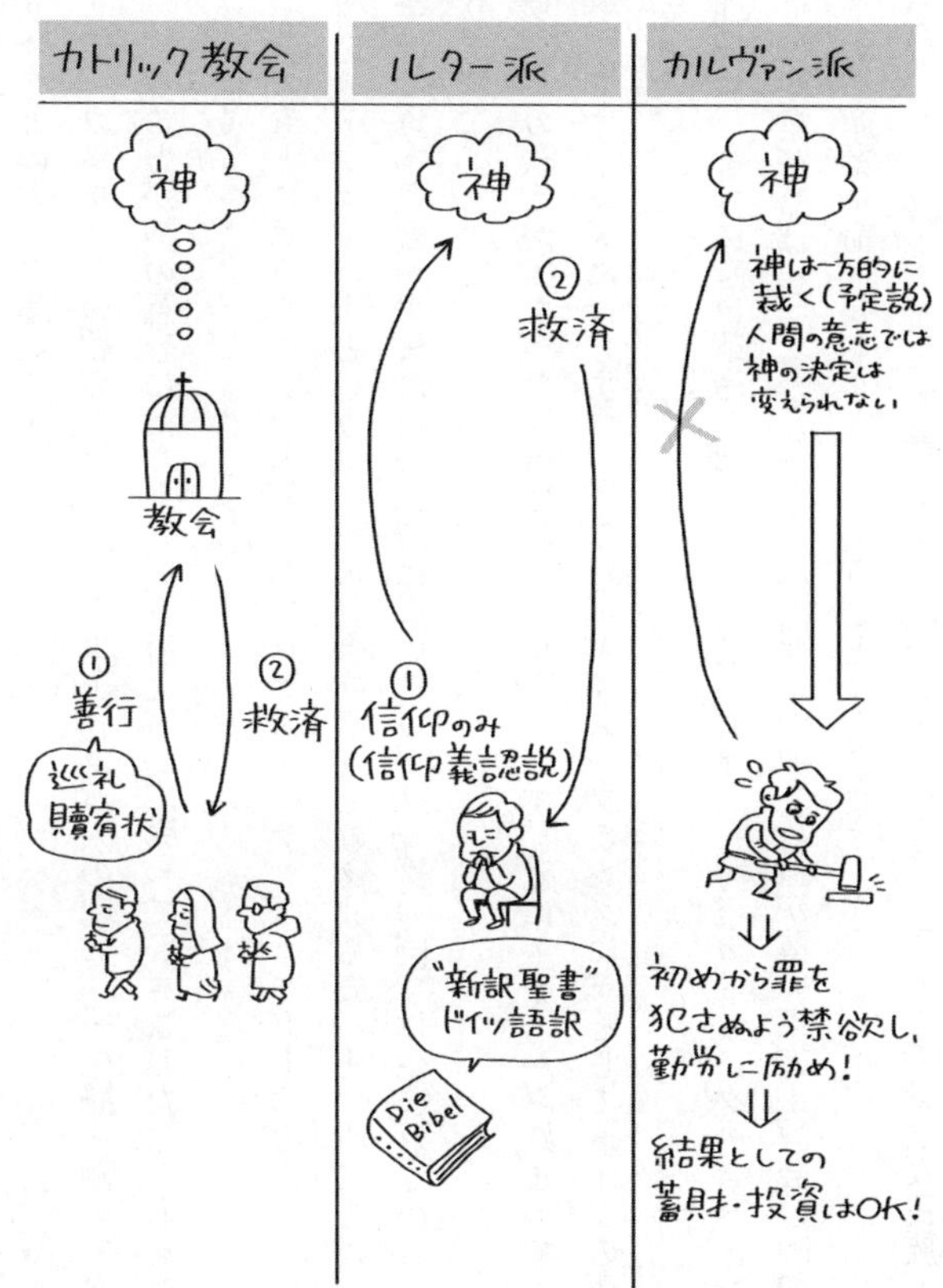
宗教改革
カトリック教会
ルター派
カルヴァン派
神
神
神
教会
①
善行
巡礼
贖宥状
②
救済
②
救済
①
信仰のみ
(信仰義認説)
"新訳聖書"
ドイツ語訳
Die Bibel
神は一方的に
裁く(予定説)
人間の意志では
神の決定は
変えられない
初めから罪を
犯さぬよう禁欲し、
勤労に励め!
結果としての
蓄財・投資はOK!

すカトリックとの大きな違いです。

こうして、カルヴァンの教えを受け入れたヨーロッパ人の間に、一生懸命働いてどんどん投資をすることが神の意志にかなうという考え方が広まっていきました。これをなんと呼ぶかというと、「資本主義」というのです。

資本主義のもとにはカルヴァンの教え（プロテスタンティズム）があるのだ、という説は、マックス・ウェーバーというドイツの社会学者がとなえました。ということは、ヨーロッパ全部で資本主義が生まれたわけではない。カトリックの国では生まれないということになります。

カルヴァンの教えが広まった地域は西ヨーロッパです。元はスイスから始まって、ライン川を下ってオランダに行きます。さらにイギリス・フランスに、そしてドイツの西のほうに広がった。

この地域は、まさに産業革命が起こったところです。一方、カトリックのスペインやイタリアでは産業革命は起こらない。また、「罪」という意識が薄い東方正教会の国であるロシアでも、産業革命は起こらないということになります。

それでは、アジアでの資本主義はどう説明するのか。アジアの中で勤勉な民族というと、日本人、中国人、韓国人など東アジア系です。これに対してマレー人やフィリピン人はそうではない。よく「熱帯だからあまり働かない」といったことが言われます。でも、それは違います。たとえば赤道直下のシンガポールは華僑が作った都市国家ですが、華僑はものすごくよく働いていますよね。

ということは、やはり東アジア諸民族の勤勉も何かの思想に立脚しているはずです。ただ、これに関してはちゃんと説明できた人はまだいないようです。

さて、宗教改革からはもう一つ、近代民主主義も生まれたのです。カトリックでは、教会を支配するのはローマ教皇でした。「神の代理人」で、「使徒ペテロの後継者」でしたね。

まず、ルターがこれを否定します。ルターはドイツの諸侯ザクセン公の保護を受けた人です。だからルターは、ザクセン公のような諸侯が教会を支配すればいいと言った。つまり政治権力が教会を支配してかまわないというわけです。イギリスでは、イギリス王が教会のトップを兼ねました。これをイギリス国教会と言います。

ところがカルヴァンは、「なんびとも教会は支配できない」と言いました。教会を支配するのは神だけである、と。

とはいえ、神は見えないし、しゃべらない。実際の教会のさまざまな儀式を主宰する人が必要です。そこで、教会に集まってくる信徒たちの代表を選びます。この信徒代表のことを「長老」と呼びました。長老を補佐する聖書の専門家が「牧師」です。

ですから、カルヴァン派の教会のことを「長老派教会」とも言います。

カトリックは教皇が上から支配する。英国教会もイギリス王が上から支配すると。ルター派も諸侯が上から支配する。これに対して、カルヴァン派だけが違う。

——カルヴァン派だけが下から選ぶんですね。

まさにそこがポイントです。いまのは教会の組織の話でしたが、これを広げて考えると、そもそも政治権力はどこから来るのかという話になってくる。教皇権も王権も認めない、人民代表が権力を握ってよいのだ、という話になるでしょう。これこそ、近代デモクラシー（民主主義）の思想です。古代ギリシアで生まれたデモクラシーが、カルヴァンの時代のヨーロッパに甦（よみがえ）ったわけです。

王や貴族が人民の権利を脅かす場合には、人民は立ち上がって、王や貴族を倒していいというのが市民革命です。西ヨーロッパで市民革命が起こった国は、まずオランダ、イギリス、フランス。そしてイギリスから分かれたアメリカです。これも、カルヴァン派の地域とぴったり合うでしょう。カトリックや正教会の国では、市民革命はなかなか起こりません。

——カルヴァンの思想は、資本主義だけでなく、市民革命の思想にものすごい影響を与えた、ということですね。

主権国家はどう誕生したか？——自然権思想と国際法

カトリック教会の衰退は、教会と政治権力の関係も変えました。

中世までは、教皇が王の権力を承認する、という構造がありました。教皇権の下に王権があったわけです。

ところが、十字軍の失敗、フランス王の反逆（アナーニ事件）などを経て、教皇権が衰えていった結果、イギリス王・フランス王は、新しい理論を打ち立てます。

すなわち、王権は神から直接——つまり教皇を経ないで与えられたものである、というのです。したがって、地上において王権は絶対不可侵であり、なんびとにも侵されない、だから王は、教皇にも頭は下げる必要はないのだ、と。

この理論の前半、王が神から直接権力を授けられた、という理論を王権神授説と言います。そして後半、王権の絶対不可侵性のことをサヴァラン（sovereign）と言います。「サヴァー」というのは「スーパー」という意味のラテン語で、「超越的な」という意味です。これを日本語で「主権」と訳します。

実際の経済的なパワーも王が握るようになります。大航海時代が始まって、アメリカ大陸やアジアに植民地ができる。植民地貿易で富を得た商人たちを王が保護し、代わりに税を取るという政策――重商主義が始まります。

こうして、政治理論の面でも、実際の経済的な面でも、王が絶対的な力を持つようになったのがこの時代です。これを絶対主義の時代と言うわけです。

近代の幕開けです。

――でも、民主主義の理論と国王主権の理論とは、矛盾しませんか？

矛盾します。その矛盾が火を噴いたのが、オランダ独立戦争（一五六八～一六四八）です。

オランダはもともとスペインの飛び地でした。いまでは見る影もありませんが、当時のスペインはアメリカ大陸を征服して、黄金時代を迎えていました。そして、国王のフェリペ二世は「カトリック教会の守護者」と自任し、異端と戦っていた。異端というのはルター派、カルヴァン派のことです。

ところが、オランダ人たちはもともと海洋民族で、中世の頃から船であちこち貿易をしていたので、商工業者が多い。しかもライン川でスイスとつながっているので、カルヴァン派が広がった地域でしたね。「投資はよいことだ」というカルヴァンの考え方が、オランダでも商工業者たちを中心に受け入れられたのです。

また、オランダは国土がちょっと特殊で、ほとんどが海抜ゼロメートルです。ちょっと高潮があると、すぐに海に沈んでしまう。そこで何百年もかけて堤防を作り、常時そのメンテナンスをしないといけないので、遊んでいる暇がない。だからもともと働き者の民族だった、ということもあります。

ところが、スペインの法ではカルヴァン派は異端で、異端者は宗教裁判にかけられて火あぶりにすることになっていました。スペイン王フェリペ二世は、この法律をオランダにも適用すると言い出したのです。ということは、オランダ人を全部焼くということに等しい。

このときに、オランダのカルヴァン派はこんなことを主張しました。「確かにわれわれはスペイン王の臣民であるから、スペインの法を守る義務はある。しかし、それ以前にわれわれはキリスト教徒であって、神の法に従う。国王フェリペ二世のやっていることは明らかに神のご意志に反するので、われわれはスペイン国王に反逆する」、と。

――神の名において、国家権力に反抗することができたわけですね。

そうです。こうしてオランダ独立戦争が始まると、イギリスが援軍を送ります。国教会のイギリスも、カトリックとは対立していたのです。スペインの「無敵艦隊」をエリザベス女王のイギリス海軍が破り（一五八八）、オランダを勝利に導きます。

オランダ独立戦争の主導者でオラニエ公ウィレムという人がいます。彼はもともとスペイン王に仕えるオランダ総督という立場で、カルヴァン派を取り締まる側でした。ところが彼はスペイン国王を裏切って、オランダ人の側についたのです。

これはスペインから見れば反逆者ということになる。スペインの法廷はオラニエ公に対して、欠席裁判で死刑判決を出します。

結局、オラニエ公はスペイン王が放った刺客（しかく）に殺されてしまうのですが、オランダの英雄になりました。こののちオランダでは、代々オラニエ公の子孫が統治をすることになりました。いまのオランダ国王の一族というのは、この子孫です。

スペインの法律では、異端は火あぶりだった。オラニエ公の行為は、明らかに法律違反ですね。しかし彼が法に従えば、オランダ人を殺戮（さつりく）しなければならない、という矛盾に突き当たったわけです。

これとは逆の例があります。アイヒマン裁判です。

ナチス親衛隊の幹部だったアイヒマン中佐は、ユダヤ人を強制収容所へ移送する責任者でした。彼は国家公務員として忠実に任務をこなし、ユダヤ人殺戮を効率化しました。それが、ヒトラー政権下のドイツの法だったからです。

ドイツの敗戦後、アルゼンチンに潜伏していたアイヒマンは、ユダヤ人国家イスラエルの秘密警察に逮捕され、法廷に引きずり出されて死刑判決を受けました。しかしアイヒマンは最後まで、こう主張したのです。

「私は無罪だ。法に従った人間をなぜ裁く？」

もしアイヒマンが無罪なら、オランニエ公は有罪、ということになります。


オランダ人の考えた理論はこうです。法には「国家の法」と「自然の法」の二つがある。国家の法は王、つまり人が作った法である。人は万能ではないから間違った法も作ってしまう。たとえばカルヴァン派を焼け、といった法である。

しかし神は人間のあやまちを補うため、あらかじめ「自然法」を定めていた。聖書に書いてあるとおり、もともと人間はアダムとイヴから始まった。人間は神様がお作りになった作品である。ということは、神様は人間を愛している。だから人間がむやみに殺されたり、差別されたり、奴隷になることを神は望まれない。

したがって、生命、自由、平等、財産などは民族を問わず全人類が生まれながらに神によって保障された権利――自然権なのだ、という思想です。別の言い方では人権（ヒューマン・ライツ）です。そして、もし国家の法が人権を脅かす場合には、人民は神の名において国家の法に反逆できる、ということになります。

オラニエ公はスペインの法では有罪、しかし自然法においては無罪。アイヒマンはドイ

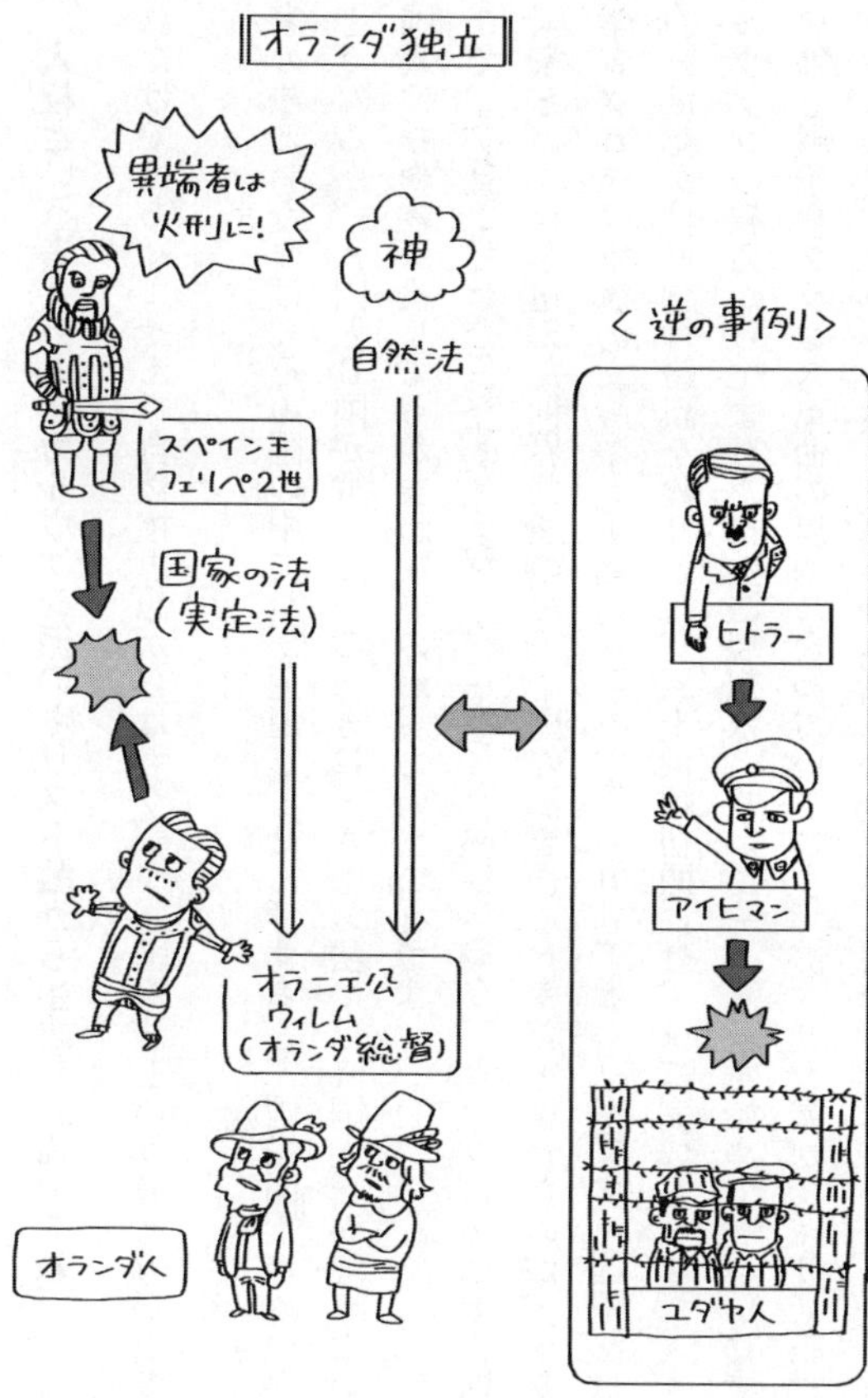
オランダ独立
異端者は
火刑に!
神
自然法
スペイン王
フェリペ2世
国家の法
(実定法)
オラニエ公
ウィレム
(オランダ総督)
オランダ人
<逆の事例>
ヒトラー
アイヒマン
ユダヤ人

ツの法では無罪、しかし自然法では有罪、となるわけです。

――人権という考え方も、カルヴァン派のキリスト教から生まれたんですね。

それだけではありません。自然権思想からはもう一つ、国際法という考え方が出てきます。

国家の法というのは、その国の中でしか通用しません。すると、国家同士がぶつかる戦場はどうなるか。A国とB国が戦っているときに、A国の法ではA国人しか守れない。ではB国人はむやみに殺してもかまわないのか、ということです。

そこで、「むやみに人を殺すな、むやみに人を奴隷にするな」という自然法を原則にして、国家という枠を超えた世界共通の法――国際法を作るべきだと言ったのが、オランダの法学者グロティウスの『戦争と平和の法』（一六二五刊）という本です。国際法はこのあと約三世紀かけて試行錯誤を繰り返し、二十世紀初頭には、ほぼ完成します。

カルヴァンの教えから生まれた自然法思想は、やがて一人歩きを始めて、ついにはアメリカの独立戦争やフランス革命の思想になっていきます。アメリカ人がイギリス王に、またフランス国民がフランス王に反撃できたのも、「それは自然法に反する」という理論があったからこそです。

——自然法や国際法があれば、国家の法はなくてもいいのでは？

そもそもなぜ国家というのがあるのだろうか、という疑問ですね。「王権が神から与えられたから」では、説明になっていません。

そこで、国家がない状態——原始社会を考えてみます。個々人がばらばらに生きていて、みんな槍(やり)を持って暮らしている。そこに獲物が来ると奪い合いが起こります。人はみな自分が食うためにものを奪い合って、相手を襲うということを繰り返したはずです。「万人の万人に対する闘争」といわれる無政府状態です。

これを止めるために、誰かが呼びかけをした。殺し合いをやめて、みんなが持っていた武器を一人に集めようと、その人物を「王」と呼ぼうと呼びかけた。

つまり王の主権というのは神が与えたのではなく、人民がお互いに契約を結んで、王に預けたのだ、という考えです。これを社会契約説と言います。これを考えたのはイギリス人のホッブズという人です。

ホッブズは、「平和の維持のためには、王権は絶対的でなければならない」と言っています。個々人が身を守る権利を一身に集めたから王は絶対なのだと。これは、王権神授説に代わる王権正当化の理論です。

――だとすると、オランダ人を焼き殺そうとしたスペイン王の権力も絶対ですか？

ホッブズの理論ではそうなります。でも、これでは人権どころではないですよね。つまり王が主権を濫用（らんよう）して人権を脅かしている場合はどうなるのか？

そこで、ホッブズの社会契約説を修正したのが、同じイギリス人のジョン・ロックです。

王が人民から委ねられた主権を悪用して、逆に人民を迫害する場合には、社会契約違反である。だから人民はこの王を倒して、もっとまともな人間を王に選ぶことができる、というのです。

ホッブズやロックが生きた時代は、イギリス革命の時代です。王権神授説を唱えて独裁化した王に対し、議会を中心とする人々が抵抗した革命です。

イギリス革命の理論的根拠は二つあります。

一つは、中世のマグナ・カルタ（大憲章）制定と議会創設にさかのぼる、法の支配の原則です。国家の運営は、古代から続く長い伝統——慣習法に基づくものでなければならず、王が恣意的に（勝手に）これを変えてはならない。王もまた、法の下にある、という思想です。

もう一つはカルヴァン派的な、「神の意志に反する王は倒せ！」という過激な思想です。イギリス革命の前半は、クロムウェルという狂信的カルヴァン派の軍人が主導権を握り、国王チャールズ一世を処刑して聖書だけに従うカルヴァン派の神権国家——実際はクロムウェルの独裁を樹立します。これをピューリタン革命（一六四二～四九）と言います。

イギリスのカルヴァン派をピューリタンというのは、酒も煙草も歌も芝居もダメ、という禁欲生活を送り、「清らかな人々」と呼ばれたからです。クロムウェルはこれを全国民に強制したため支持を失い、彼が死ぬと議会は王政復古を認め、国外逃亡していたチャールズの息子たちを呼び戻します。

後半は、再び独裁化したジェームズ二世を議会が追放した革命です。血を流さずに政変が起こったので名誉革命（一六八八～八九）と言います。ジェームズの娘婿でオランダ総督のウィリアム三世を新たなイギリス王として迎え、イギリスの慣習法を守ることをウィリアムに誓わせました。これが「権利の章典」です。

ジョン・ロックが革命権を理論化した『統治二論』を発表したのはこのあとです。彼は王政そのものを否定したのではなく、「法の支配」に従わない王を倒して、新たな王を迎えるのは合法だ、と言ったのです。

立法権を持つ議会が実際の権力を握り、王は国家の象徴的な権威として残す。これが今日まで続く立憲君主制ですね。いまの日本の象徴天皇制もこれです。

こうして、オランダの自然権思想とイギリス革命の経験を融合して社会契約説が生まれ、アメリカ独立戦争や初期のフランス革命に影響を与えたのですが、その一方で「法の支配」とは真逆の恐るべき思想がフランスで生まれました。

それがルソーです。

ルソーの狂気から恐怖政治が生まれた

ルソーはスイスのジュネーヴに職人の子として生まれます。あのカルヴァンが宗教改革を行った町です。何かの因縁(いんねん)を感じますね。生後すぐに母と死に別れ、十歳で父親に捨てられ、十五歳で奉公先から家出をし、フランスでフリーターや、貴婦人のヒモみたいな生活をしながら読書だけで自分の学問を形成していきます。国家からも家族からも見捨てられ、高等教育というものをまったく受けなかったルソーは、独特の思想を持つに至ったのです。

ルソーはまず、ホッブズの社会契約説を批判します。原始社会ではお互い殺し合っていたなどという証拠はどこにもない。アフリカやアマゾンの奥地には原始的な狩猟民族がいるが、その人たちは毎日殺し合っているのか？　そんなことはない。むしろ未開民族ほど助け合い、一緒に狩りをして獲物を分け合い、女性や子供から先に食べている。われわれヨーロッパ人の祖先もそうだったに違いない。土地は万人のもので、貧富の差もなかった原始社会こそ、実は理想社会である、と。

それでは、いまのフランスのように、階級や貧富の差が生まれたのはなぜか？　あるとき誰かが自分の住んでいる周りの土地に杭(くい)を打ち、こう言ったからである。「ここは俺の土地だ、誰も入るな」と。そのときに周りの人間が真似をして、みんなで勝手に縄張りを始めた。こうして土地財産制が始まると、強い者、弱い者、強欲な者、そうでない者、と貧富の差が分かれた。そこで憎しみが生まれ、嫉(ねた)みが生まれ、争いが起こり、そして戦争になる。弱い者は殺され、農奴や奴隷とされ、強い者が貴族になって、階級制度が生まれた。さらに貴族同士が殺し合って、最後に生き残ったもっとも強欲で卑劣な男が、みんなの武器を没収していった。「私が王だ、従え」と。主権は人民が王に与えたのではない。王が人民から奪ったのだ。これがルソーの説明です（『人間不平等起源論』）。

つまり、ルソーは私有財産が諸悪の根源であるから、所有権を制限して貧民に分配せよ、土地私有を基盤とする階級制度を打破し、王を倒して人民主権を実現せよ、といったのです。「ダメな王は取り替えろ」というロックの革命とはここが違います。

――ロックは私有財産についてなんと言っているのですか？

所有権は、自由権・平等権と並ぶ人権だ、とロックは言っています。だからイギリス革命では貴族制度は廃止されず、ジェントリといわれる大土地所有者が国会議員をやっていたわけです。イギリスには、いまでも貴族がいますね。

ルソー本人はフランス革命直前に死にますが、その思想はジャコバン派という過激派グループに受け継がれます。フランス革命も最初はイギリスのような立憲君主政を目指したのですが、土地分配を行わなかったため、不満を持った下層市民がジャコバン派を支持するようになったのです。

ルソーは、イギリス型立憲君主政を痛烈に批判しています。王はいらない。議会は人民代表と言ってはいるが、実際には地方の地主、金持ちの代表である。しかも、選挙のときだけは人民のほうを向くが、選挙が終わるとそっぽを向いてしまう。議会政治なんてものはインチキだと。

――ルソーは議会政治を否定したということですか？

そうです。では、どういう体制がいいというのか。ルソーはここで、「一般意志」という概念をとなえます。

われわれにはそれぞれ意志がある。たとえば金持ちになりたいとか、贅沢をしたいとか、働きたくないとか、いろいろ勝手な欲望に基づく意志を持っています。同時にわれわれにはもっと高貴な、社会全体をよくしたい、よりよい国をつくっていきたい、といった意志も持っている。ルソーは欲望にまみれた汚い意志を「個別意志」と呼び、理想に燃えている美しい意志のことを「一般意志」と呼びます。

そして、もしわれわれがこの個別意志にこだわっていると、人民の声はただのわがままであって、それを集めても国はまとまらない。まさにイギリスの議会政治はそれである。だから、個別意志を一人ひとりが押さえこんで、一般意志に合わせることができれば、全人民が同じ意志を持って同じ方向に進んでいく。そういう理想の国家には、議会もいらないし、選挙もいらないのだ。そうルソーは言うわけです。

この一般意志を代表する優れた人間、これをルソーは「立法者」と言っています。立法者が全権を握って独裁を行うと、そこに理想国家が生まれるというのです。

——プラトンの哲人政治みたいですね。

おっしゃるとおりです。プラトン同様、ルソーも実は民衆をまったく信じていません。となると、革命政権では「立法者」による独裁が行われることになります。

これを実際にやったのがジャコバン派です。その指導者ロベスピエールはルソーの崇拝者で、「われわれジャコバン派こそ、一般意志を実現している。われわれに逆らう者は人民の敵だ！」と反対勢力を片っ端からギロチンにかけました。恐怖政治と呼ばれるものです。

フランス革命は王や貴族を処刑したばかりでなく、「反革命」、「人民の敵」と見なされ

社会契約説
英 ホッブズの説
①自然状態
万人の万人に対する闘争
②社会契約
王
人民相互の契約で
主権を王に委ねた
③革命権 英 ジョン・ロックの説
A王
B王
A王が暴君となった場合、人民は新たにB王を選べる
人民主権論
仏 ルソーの説
①自然状態
土地は万人のもの
貧富の差なし
②所有権の発生
王
戦争・階級・貧富の差
王権の出現
③ルソーの理想
立法者
の
独裁
理想
国家
一般意志
個別意志
欲望

た一般民衆も殺戮されました。その原因はルソーの思想にあったのです。

このルソーの思想はのちにマルクス、レーニン、毛沢東に受け継がれます。優れた指導者、政党が人民を指導する「プロレタリア独裁」という考えですね。さらにこれを突き詰めていくと、北朝鮮のチュチェ（主体）思想に基づく個人崇拝や、カンボジア共産党（ポル・ポト派）の大虐殺に行き着くのです。

こうした、ルソーの危険な面については、教科書にはまず書かれません。教科書の執筆者が、ルソー→マルクスの思想の枠組みを無批判に受け入れているので、批判できないわけですね。

さて、この革命の結果、フランスは全ヨーロッパを敵に回して革命戦争に突入します。その中からナポレオンというカリスマが出てきて、一時期はヨーロッパを席巻しますが、最後は各国の反抗を招いて崩壊する。その後、十九世紀のフランスは、また王政に戻り、それからまた革命が起こり、また帝政になり、共和政に戻り……の繰り返しで多くの血が流れることになります。

これに対して、立憲君主制を確立したイギリスではまったく血が流れませんでした。イギリスの革命は中世以来の議会政治の伝統に戻ろう、という思想です。そこには、ルソーのような革命理論はありません。ずっとそれで治まってきたんだから、それでいいじゃないか、という発想です。これが保守主義です。

エドマンド・バークという人は、フランス革命の惨状を予見し、絶対にイギリスでは同じことを起こしてはいけないと考えて『フランス革命の省察』を書いています。イギリス保守主義を代表するバークの思想も、教科書に取り上げられることはまずありませんね。

社会主義の理想と革命の現実

フランス革命と同時期に、イギリスでは産業革命が進んでいきます。工場で、機械を使って大量生産するという体制が生まれると、それまでのイギリスを仕切っていた地主階級に代わって、工場の経営者である産業資本家が台頭してきました。

イギリスは綿工業で世界ナンバーワンになり、世界のマーケットを席巻します。こうしてもたらされた富は一部の産業資本家に集まり、労働者は劣悪な環境と低賃金に苦しみます。資本家と労働者という新たな階級制度が生まれたわけです。

さらに、生活用水は汚染され、空はスモッグで覆われたため、コレラや結核が流行して、産業革命後のイギリスはどんどん悲惨な社会になっていきました。

こうした中で、新しい資本主義の社会は間違っている、という考えが生まれてくるのは当然です。資本主義を変えようという思想が社会主義です。

先ほど言ったように、社会主義の萌芽(ほうが)はルソーです。そもそもの間違いは所有権である、と。とくに、土地とか工場といった生産手段を個人が持っているのが問題である、みんなが持てばいいというのが社会主義です。

ということは、土地を持っている地主を否定し、工場を持っている資本家を否定して、すべて国有地、国営工場にして、そこから上がる利益を労働者・農民に分配すればいいということになります。

ここまでは間違っていないとしても、実際には工場は個人が持っているわけです。その社長さんに対して「あなたの工場を渡せ」と言っても、社長さんは渡すわけがない。そうすると、そこには強権が必要になってきます。


――つまり、革命がまた必要ということですよね。

そうですね。では、どうやって土地や工場を公有化していくのか、というやり方についていくつかの考え方が生まれます。

まず、無政府主義と共産主義です。労働者が武装して、土地や工場を実力で奪い取るのが革命です。そうすると、資本家の側は当然反撃をしてきます。当時、多くの国では財産制限選挙といって、金持ちしか選挙に行けない仕組みでした。ということは、政府はブルジョワジーの代表ですから、労働者が暴れれば政府が警察や軍を派遣してきます。

労働者は、警察や軍と戦わなくてはいけません。では、戦ってやっつけたあとはどうするか。「国家の暴力装置」である軍・警察を廃止し、国家そのものを解体してしまえ、というのが、プルードンやバクーニンがとなえた無政府主義（アナーキズム）です。

国家の解体後は、各工場で労働者たちが組合を作って、あとは自治でやっていけばいいと無政府主義者たちは考えたのです。

革命と反革命を繰り返していたフランスで、一八七一年にパリ・コミューンというものができます。無政府主義者たちが頑張って、ほんの数カ月ですが、パリに労働者政権ができた。しかし最終的には資本家の政府軍に潰（つぶ）されてしまいます。

もう一つが共産主義です。パリ・コミューンの敗北を見たマルクスは、こう考えました。ブルジョワジーは手強（てごわ）い。われわれが革命をやって国家権力を解体したら、われわれ自体が弱くなってしまう。だからブルジョワジーと戦うためには、ブルジョワジーよりも強力な政府、軍を持つべきだと。これが先ほど触れた「プロレタリア独裁」という考え方です。これはパリ・コミューンのあとで生まれた考えです。

実際問題として、当時の労働者の多くは学校に行っていなかったので読み書きもできません。その人たちがどうやって政府を作るのか、という話になります。そこで、労働者に代わって、知識人があらかじめ組織を作っておいて、受け皿になるべきだ。それが共産党なのだという考え方です。

パリ・コミューンの少し前、ロンドンに第一インターナショナル（国際労働者協会）という労働者の国際組織ができます（一八六四）。マルクスのグループとバクーニンのグループが合同したのですが、両者の対立がひどくて分裂、崩壊してしまいます。

十九世紀の半ばを過ぎると、産業資本家の側が手を打ちます。このまま放置すると、本当に血を見ることになる。だからちょっと譲歩しよう、ということです。まず工場をアジア・アフリカの植民地に移して、過酷な労働は植民地の住民にやらせ、白人労働者の労働条件を改善した。賃金をアップし、労働時間を減らしたのです。次に選挙制度を改正して、労働者に参政権を与えました。いわゆる普通選挙です。

——選挙で社会を変えられるのなら、革命を起こす必要はなくなりますね。

「暴力はやめろ。文句があるなら投票しろ」ということですね。

その結果、たとえばイギリスの労働党、フランスの社会党、あるいはドイツの社会民主党といった、議会政治を通して社会主義を実現しようというグループが生まれたのが十九世紀末です。

パリでこれらのグループが集まったのが、第二インターナショナル（一八八九～一九一四）です。マルクスやバクーニンのやり方はもう古い。議会で立法によって社会主義へ移行するというやり方に修正しよう、という彼らの考え方を修正主義と言います。

ヨーロッパではこの段階で、すでにマルクス主義も無政府主義も完全に時代遅れになっていた。「えっ、まだ革命なんて言っているの？」という感じですね。

革命では軍を掌握した党派が勝つ

ところが、その時代遅れなマルクスの考えが甦ってしまった国がありました。それがロシアです。なぜロシアなのか？　議会がないからです。

――議会がないから、修正主義ができないんですね。

そうなんです。中世のビザンツ帝国から受け継いだ、政教一致の独裁が続いていて、議会という安全弁がありません。人民に不満があれば、もう暴力しかないわけです。

さらに、ロシアの場合には産業革命さえ起こっていなかったので、まさに中世そのものです。労働者はおらず、ほとんどが農民です。というわけで、ロシアの革命をどうするかが大問題になりました。

無政府主義のバクーニンはロシア人でした。彼はフランスに留学して無政府主義を学びましたが、祖国ロシアはヨーロッパ諸国とはあまりに違う、ロシアにはロシアの革命があるはずだ、と考えます。ロシア語で人民のことを「ナロード」と言います。バクーニンの一派を、ナロードニキ（人民主義者）と言います。

ナロードニキが何をやったかというと、農民革命です。大規模な百姓一揆（いっき）を起こして、地主とロマノフ王朝を倒して、土地を分配しようと考えたのです。

革命後は、ロシアという国家を解体して、村が土地を所有するようにする。ロシア語で村のことを「ミール」というので、これを「ミール社会主義」と言います。

実は、ロシアにおける革命運動はこのナロードニキが主流でした。この連中があちこちでテロをやっているところに、遅れて入ってきたのがマルクスの考えです。

ロシアのマルクス主義政党はロシア社会民主労働党と言います。当然、こんな政党の活動は許されませんので、結成大会から警官がなだれこんできて全員逮捕されるようなありさまです。生き残ったメンバーは海外に逃れて、主にロンドンで活動します。その中にいたのがレーニンでした。

ところが、ロンドン大会で党は二つに割れます。メンシェヴィキ（少数派）とボリシェヴィキ（多数派）です。両者の目標は一緒ですが、革命の途中経過について意見が分かれたのです。

マルクスの思想の特徴は、常に階級闘争で歴史が動いたという考え方です。階級というのは、生産手段――土地・工場の有無で分かれます。中世の場合は土地を持っている貴族と持ってない農奴、産業革命後は工場を持つ産業資本家と持っていない労働者との対立が歴史を動かしてきたのだと、これを階級闘争史観と言います。

マルクスによれば、都市の商工業（ブルジョワジー）が自由を求めて立ち上がり、貴族を倒したのが市民革命です。ところが、今度は市民階級の中の産業資本家が、工場労働者たちを搾取し始めた。これがいまの資本主義社会であって、来るべき革命では労働者（プロレタリアート）が産業資本家（ブルジョワジー）を打倒する。これが世界最終革命であり、生産手段は公有化され、誰一人飢えるものがいない理想社会がやってくるというわけです。

マルクスはこれを世界史の法則と考えたので、どの国でも必ずこの過程を辿らなければいけない。だから、マルクスの考えに従う以上は、途中を飛ばしたり、順番を変えたりしてはいけません。

問題は、ロシアはいま、どの段階にあるのかということです。

——中世のような状態だったんですよね。貴族がいて、農奴がいるという。

ええ、どう見てもまだ中世の封建社会なんですね。

だからメンシェヴィキ（少数派）はこう考えた。ロシアでやるべき革命は市民革命だ。当面は資本家を応援して、一緒に貴族をやっつけようといったんですね。まず資本主義に持っていって、しばらく経ってから本命の社会主義革命をやればいい、と。

ところが、レーニンらボリシェヴィキは猛反対した。「何を言うか、資本家は敵だ」と。資本家が貴族を倒したら、間髪入れずに労働者革命を起こし、資本家を倒すのだと。このレーニンの考えを、「二段階連続革命」と言います。

こうして革命方針をめぐってもめた結果、ロシアの革命運動は三つに分かれてしまいます。ナロードニキの流れをくむ社会革命党、市民革命を支援するメンシェヴィキ、二段階連続革命論のボリシェヴィキ、この三つです。メンシェヴィキは主導権を握れなかったので、実質的には社会革命党とボリシェヴィキの対決です。

実際のロシア革命は、まずは市民革命から始まります。これが日露戦争のときです。アジアの小国・日本を相手にまさかの大敗北を続けたロシアでは反戦デモが起こり、一九〇五年に軍と衝突して血の日曜日事件という惨劇が発生します。資本家も革命を支持した結果、皇帝ニコライ二世が譲歩して憲法と国会を認めます。これを第一革命と言います。国会のメンバーを貴族と資本家だけとし、資本家階級を政府側に取り込むことに成功しました。ボリシェヴィキや社会革命党は再び弾圧されます。

——革命失敗、ということですか？

う〜ん、立場によりますね。資本家から見れば、ロシア最初の憲法と国会を実現し、自分たちが参政権も得たのですから大成功でしょう。

十年後、ロシアはバルカン半島でドイツとぶつかります。第一次世界大戦です。十年前に日本に負けた国がドイツに勝てるはずもなく、またしてもロシアは大敗します。そしてまた暴動が起こるわけです。

大戦中の一九一七年には二回革命がありました。三月革命と十一月革命です。

三月革命では資本家が皇帝ニコライ二世を退位させ、臨時政府の樹立を宣言します。レーニンのボリシェヴィキはこの資本家政府に対抗してソヴィエト政府を樹立しました。「ソヴィエト」はロシア語で「評議会」という意味で、労働者や農民の議会をソヴィエトというわけです。

一方、社会革命党のケレンスキーはボリシェヴィキを警戒し、臨時政府に入閣して首相になります。このケレンスキーの臨時政府をレーニンのソヴィエト政府が倒したのが、十一月革命です。ケレンスキーは国外逃亡し、他の閣僚は逮捕されます。

——二段階連続革命、ですね。

実態は、革命というより軍のクーデターでした。戦争はまだ続いていて、ロシア軍はドイツに負け続け、兵士の間では厭戦(えんせん)気分が高まっていました。他の政党が戦争続行を叫ぶ中、ボリシェヴィキだけは、「戦争反対」を唱えて兵士の圧倒的支持を集めたのです。革命においては、軍隊を掌握した党派が勝つ。これが鉄則です。

さて、ソヴィエト政権はドイツと休戦し、土地国有化を宣言します。翌一九一八年には、ロシア史上初めて財産制限のない男女同権の普通選挙が行われます。

これはソヴィエト史上最初で最後の自由な選挙でしたから、結果には民意が表れていました。第一党となったのは社会革命党で、十一月革命で倒されたケレンスキーの政党です。ロシア人の大半は社会革命党支持であり、レーニンが起こした十一月革命を明確に否定したということです。

こういう結果が出たら、あなたがレーニンだったらどうしますか。

――ケレンスキーを呼び戻して、自分は野党になるしかないと思います。

ところがレーニンは、「選挙結果を認めない」と言ったのです。ボリシェヴィキは、武力を使って社会革命党を弾圧し、一党支配を確立して共産党と改称します。これを最後にソヴィエトはまともな選挙をやめました。「人民代表である共産党が人民を指導する。よって選挙はいらない」と。

――ああ、ロベスピエールと同じ発想ですね。

さて、革命で崩壊したロシア帝国からは、フィンランド・バルト三国・ポーランド・ベラルーシ・ウクライナ……といった少数民族が独立します。第一次大戦がドイツの敗北で終わると、イギリスやフランスが黒海・バルト海方面から、アメリカと日本が日本海からロシアに出兵し、史上初の共産党政権を弾圧しようとした。これを対ソ干渉戦争――日本ではシベリア出兵と言います。

共産党はモスクワ近郊まで追いつめられますが、革命軍（赤軍）を組織し、貧農に対して「われわれが天下をとれば飯が食える。地主を倒せ」と呼びかけて支持を集め、じわりじわりと勢力を盛り返していきました。

――ウクライナは、ロシアからいったん独立したんですね。

しかしウクライナにも貴族と貧農がいたわけです。貧農の支持を集めたウクライナ共産党が、ロシア共産党に援軍を要請する、というかたちで、赤軍がウクライナを占領し、貴族を処刑して土地国有化を宣言する。こういうふうにソヴィエトは拡大していったわけです。

最終的にソヴィエト政権は、ロシア本体とベラルーシ・ウクライナ・ザカフカース（グルジアやアルメニア）の四カ国を押さえました。とりあえずこの四カ国が連合して、「ソヴィエト連邦」（ソ連）という国を組織します。

レーニンの本当の狙いは、ドイツやオーストリア、できればフランス・イギリスまで共産化することでした。レーニンは「世界革命」をとなえていたのです。

しかし実際にはうまくいかなかった。それでは残った地域をどうするかというと、遠隔操作です。

ドイツ、オーストリア、イタリア、フランス、イギリス、アメリカ、中国、日本に共産党を作り、これを操る。その本部が、モスクワの共産主義インターナショナル（第三インターナショナル）、通称コミンテルンです。逆に言えば、各国の共産党はコミンテルンの支部だったわけです。

このあとの世界史は、世界革命を狙うコミンテルンとソ連共産党に対して、他の国がどう反応するか、という流れになります。コミンテルンを潰そうとするグループと、コミンテルンと手を組もうというグループとがあったわけですね。

先進資本主義国はもちろんソ連を潰すという方向に進みました。しかし、アジアの国々、たとえば中国の場合には、ソ連共産党と手を組もうとします。清朝を倒した孫文が、中国はずっと欧米列強の抑圧を受けてきたのだから、同じ列強に侵略されているソ連は仲間だ、と考えたのです。孫文を継いだ蔣介石の国民党は、中国共産党との連携に踏み切ります。これを国共合作というのです。

ソ連国内では、「革命の父」レーニンが死んだあと、赤軍司令官のトロツキーと共産党書記長のスターリンがすさまじい権力闘争をやって、スターリンが勝利します。

——どうして書記長が強いんですか。そもそも「書記長」ってなんですか。

書記長（中国共産党では総書記）は文字どおり、共産党の事務方のトップなんですが、党の人事権を握っているんです。誰をどの役職に就けるかという人事の最終決定権を書記長が握っている。つまり書記長ににらまれると、党内で出世ができない。スターリンはこの権限を最大限利用し、自分に忠誠を誓うイエスマンで党の要職を固めたのです。こうして共産党独裁は、スターリン書記長の独裁に変貌していきます。

スターリン時代に、工場と土地はすべて国有化されました。工場で何をいくつ作るか、農場で何をどれくらい耕作するかは共産党が決定する。生産物は党が分配するから貧富の差は生まれない、という体制になります。このような生産と分配の計画を「五カ年計画」と言います。

けれども、人間は命令されると働きません。資本主義というのは、政府の命令ではなく、自分の意志で仕事をするでしょう。もちろん仕事に不満がある人は多いにしても、頑張れば儲けがあるし、ちょっと残業手当が出たりする。そういう張り合いがあるから働くわけです。嫌なら転職する自由もある。

共産主義にはそれがない。そもそも仕事を選べず、「この工場に行け」と命令される。頑張ったからといって給料が増えるわけでもない。これでは人は働かないですよね。結果、ソ連の生産力は低下し、計画したノルマが達成できなくなってしまいます。

焦ったスターリンは、国民を無理やり働かせようとしました。そのために全国民を監視します。電話は盗聴され、手紙は開封され、ちょっと目をつけられるといつも尾行される。怠ける者は「反革命」、「人民の敵」として、シベリアの強制収容所に送られる。人民はそれが怖いから働く、という社会になってしまった。計画経済と言論統制は、表裏一体なのです。

ナショナリズムとグローバリズムの戦い

こうやって無理を重ねたソ連の共産主義は二十世紀の終わりには崩壊し、アメリカは共産主義に対する資本主義の勝利を高らかに宣言しました。いわゆる「冷戦終結」です。しかし、ソ連崩壊は共産主義陣営のいわば「オウンゴール」であって、資本主義の問題点が解消されたわけではありません。貧富の格差という問題は現在進行形の問題であり、これがある限り、社会主義・共産主義を支持する人たちも常に存在するわけです。

現代の世界を動かしているのは、グローバリズム、社会主義（共産主義）、民族主義（ナショナリズム）です。

グローバリズムというのは、国境を超えた資本やモノ、人の移動を自由化することで、国際的な分業体制を完成する。要するに先進工業国が開発途上国を市場化するという体制です。この結果、先進国や金持ちはますます金持ちになって、途上国や貧困層はますます貧乏になっていく。富が一部に集まっていくということです。

十九世紀の段階で、グローバリズムを体現したのがイギリスです。「世界の工場」と呼ばれたイギリスは、圧倒的な工業力で他の国々を寄せつけず、ただ自由貿易を行うだけで世界の市場で勝つことができた。自由貿易を妨害する国があれば、艦隊を派遣して恫喝(どうかつ)することまでしたのです。これがアヘン戦争（一八四〇〜四二）です。アヘン戦争で圧勝したイギリスが、負けた清朝に何を要求したか？

香港島をよこせ。領土要求はこれだけです。そんなことより港を開け。イギリス商品の輸入を妨害するな、というのが、真の目的だったのです。

――ペリーの黒船も同じですか？

同じです。アメリカは江戸幕府を脅したのですが、幕府に要求したのは「港を開け」ということです。日本のどこかがアメリカに占領されたわけではありません。

グローバリズムというのは資本の論理であって、「国境なんか取っ払え」という発想です。強い国が世界中にものを売りまくって、儲けたらいいじゃないかと。

――「弱肉強食」ということですね。

そうです。これに対する反動として社会主義（共産主義）が出てきた。生産手段を国有化し、富を平等に分配するという考え方です。

しかしもう一つ、グローバリズムに反対する思想があるのです。それが民族主義、ナショナリズムです。生まれ故郷を大事にする――郷土愛というのは、人として当たり前の感情でしょう。だから、「安い外国製品よりも、ちょっと高くても自分の国が作ったものを使いたい」という気持ちがある。これは感情です。

人間には必ず生まれ育った土地がある。生まれ故郷のことをラテン語で「ナティオ（natio）」と言います。そのナティオを同じくする人たちが集まって作ったのが国民国家です。

この国民国家は、実はフランス革命で生まれたものです。

実は中世までは「フランス人」意識はなかった。フランスにはフランドル、ノルマンディー、シャンパーニュ、ブルゴーニュ、アキテーヌといった地方ごとに方言がたくさんあって、南北でまったく言葉が通じなかった。「あんたのナティオはどこだい？」と問われれば、みんな「俺のナティオはフランドルだ」、「ブルゴーニュです」というように答えたはずで、「フランスだ」と言う人はいなかったのです。

ところが、フランス革命のときに「王を倒せ」という共通の目的のもと、ナティオを異にする人々が集まった。「俺たちのナティオはフランドルやノルマンディーではなく、フランスだ！」という発想が生まれたのです。聖職者・貴族・平民という身分制も取り払われた。このとき初めて、フランス語で「ナシオン（nation）」、英語で「ネイション」という言葉が生まれた。これを日本語で「国民」と訳します。そして「国民意識」をナショナリズム（Nationalism）というのです。

さらに、国王の首を切って暴走したフランス国民は全ヨーロッパを敵に回し、革命戦争を指揮したナポレオンが全ヨーロッパを席巻します。

そうすると、フランス語が通じないドイツやロシアがフランスの支配を受けることになる。支配された側はもちろん嫌ですから、各地で抵抗が起こります。

たとえばドイツでもナショナリズムが芽生えます。ドイツも小さな諸侯がたくさんいた国ですから、「俺はザクセンだ」、「バイエルンだ」といった感じでした。それが、フランス軍という共通の敵に対して「俺たちドイツ人」という意識が出てきます。ドイツ語で言うと「ナツィオン」、「ドイツ国民」意識が生まれたわけです。

こうして、十九世紀のヨーロッパでは各国でナショナリズムが盛り上がっていった。フランス革命から半世紀後に、ドイツ、イタリアが統一されたのはその表れです。そしてほぼ同じ頃に、地球の反対側では、日本が統一されたのです。

――えっ、日本っていう国はなかったということですか？

日本語でナティオのことを「くに」と言います。「お国はどちらですか？」「加賀でござる」、「薩摩(さつま)でごわす」という具合に、「くに」といえば出身地方――江戸時代でいえば「藩」を意味した。やはり「日本」という意識はなかった。もちろん知識人には「日本人意識」がありましたが、少なくとも一般庶民にはありません。

「日本人意識」が庶民レベルまで広がったのはいつか。幕末です。ペリーの黒船が来航（一八五三）して、アメリカ人を目にしたとき「あれがアメリカ人。われらは日本人じゃ」という意識が生まれた。ナショナリズムが顕在化するのは、「共通の敵」を前にしたときなのです。

実は明治維新（一八六八）というのは日本における国民国家の形成だったのです。偶然にも、明治維新と同時期に統一されたのが、イタリア（一八六一）とドイツ（一八七一）なのです。それからもう一つ、アメリカ合衆国も「州」の連合体だったのですが、南北戦争（一八六一〜六五）を契機に統一国家としての一体化が進みます。

この当時のグローバリズムの代表格はイギリスです。イギリスのグローバリズムに対抗するために、日・独・伊・米が頑張る、というのが当時の構図でした。そこで、まずやったことは、国内産業の保護――イギリス製品に保護関税をかけ、国内産業を保護する、ということです。

幕末の不平等条約では、日本の関税自主権を認めていません。日本政府（幕府）は関税をいくらにするか、アメリカに相談しろということです。要するに関税を下げろという条約ですから、明治政府は必死になって条約改正を進め、日清・日露戦争に勝って一人前の主権国家と認められ、ようやく関税自主権を回復したわけです。

もう一つは、国民意識を末端まで広めるための公教育ですね。小学校を作って、日の丸や天皇陛下について教えることで、一般の庶民まで日本人としての意識を浸透させた。これは、当時のヨーロッパ諸国もみなやったことです。

さらに、いざ戦争というときには国を背負って戦う国民軍を作らなければいけない。戦えば当然、戦没者や負傷者が出ます。その場合にちゃんと政府が補償する恩給制度を整備する。さらに戦没者に対しては、政府が栄誉をもって称えるという制度も必要です。日本の場合は、それが靖国神社なのです。

――靖国神社は、江戸時代にはなかったんですね。

そうです。明治維新で生まれた「大日本帝国」という国民国家を機能させるための、きわめて近代的な施設なのです。

そしてもちろん、国民軍を作るためには徴兵制が必要です。これもフランス革命によって生まれた制度ですね。近代デモクラシーと国民国家、そして徴兵制は同時に生まれたのです。アジア最初の国民軍となった日本の帝国陸海軍は、日清・日露戦争で圧倒的な強さを見せました。

こうして盛り上がった民族主義、ナショナリズムは国境線を高くして国を守ろうという考えです。当然、国境線を乗り越えていこうというグローバリズムとは対立します。

十九世紀末になると、アメリカ・ドイツ・日本が工業化に成功してイギリスのライバルになりました。各国は関税を引き上げ、植民地を囲いこんで外国製品を排除しようとした。自由貿易から保護貿易へ、イギリス一極支配から、列強の植民地争奪へ。この時代を帝国主義の時代と言い、アフリカ・アジアの分割が進みます。日本も台湾・朝鮮半島・満州を市場として囲いこもうとした。

帝国主義列強は、他の列強に対しては保護関税で壁を作りますが、植民地や従属国に対しては自由貿易による市場拡大を強要する。これは、ナショナリズムとグローバリズムとの結合です。いわば複数のミニ・グローバリズムによって、世界が分割されたわけです。この結果、列強間の緊張がピークに達し、二度の世界大戦を引き起こしたのです。

第二次大戦後、最大の勝者となったアメリカ合衆国による一極支配、グローバリズムが始まります。ドルが基軸通貨（貿易の決済で使われる通貨）となり、関税は引き下げられ、非関税障壁（補助金、慣習など、関税以外のさまざまな壁）を撤廃しろ、とアメリカは要求するようになります。

たとえばTPP（環太平洋パートナーシップ）はグローバリズムの典型ですが、これがスムーズに進まないのはナショナリズムが邪魔をするからです。たとえば「日本の農業を守れ」と言いますが、経済効率の悪い日本の農業を守ろうとするのは理屈ではありません。要は「日本の米を食いたい」という感情です。同様にアメリカは、安くて燃費のいい日本車を入れたくない。これも感情ですね。

冷戦中は、アメリカ資本主義VSソ連共産主義、という対立軸のもとで、資本主義陣営に属するアメリカと日本、アメリカと西欧との対立軸は覆い隠されてきました。しかし冷戦が終結すると、アメリカが推進するグローバリズムと、これに対抗するナショナリズムという軸がはっきり見えてきたのです。

グローバリズムは、貧富の差を否定する社会主義(共産主義)ともぶつかります。

そこでおもしろいのは、グローバリズムという共通の敵に対抗するために、ナショナリズムと社会主義が手を組もうという動きが起こることです。

いい例が先ほどの孫文ですね。彼はその名も「国民党」のリーダーですから、まさにナショナリズムの人です。その孫文が、帝国主義に対抗するために共産党と組んだのが国共合作です。

TPPに反対しているのが、自民党のコアな支持層であるもっとも保守的な層と、その真逆の左翼陣営(共産党や社民党)であるのも、ナショナリズムと社会主義との結びつきの一例です。

逆に、グローバリズムと社会主義が結びついた例として興味深いのは、中国共産党でしょう。毛沢東が推し進めた共産主義が多数の餓死者を出して失敗に終わったあと、鄧小平が「改革開放」を掲げて、外国資本をどんどん入れ、驚異的な経済成長を実現しました。鄧小平はグローバリズムに舵を切ったわけです。

共産党一党支配のもとで言論・集会の自由がありませんので、外資が経営する工場で、低賃金で働かされる労働者は、抵抗することもできない。外国産農産物の輸入で経営難に陥った農家も、泣き寝入りするしかない。政治的自由がない国は、グローバル資本（多国籍企業）にとっては植民地も同然です。しかし抑圧された人民の怒りが、外資と結託した共産党政権に向かうのは時間の問題です。

ソ連型社会主義が崩壊し、中国共産党までがグローバリズムに軍門を開いたいま、グローバリストから見て、最大の敵はナショナリズムです。ソ連崩壊後のロシアは、エリツィン政権時代に一気に市場開放した結果、国営企業や地下資源を安値で外資に売り渡し、財政破綻を招きました。後継者のプーチン政権は、外資の没収、再国有化を進めて「強いロシア」を取り戻しました。プーチンはナショナリストです。

戦後、アメリカの属国同然だった日本でも、「日本を取り戻す」を訴えて安倍政権が成立しました。この政権は靖国参拝などナショナリストの部分と、TPP推進、外国人労働者受け入れなどグローバリストの部分が混在していて、なんともつかみどころがありません。

ナショナリズムは両刃（もろは）の剣です。

日本のように均質な国は例外的で、ほとんどの国民国家には言語や宗教を異にする少数民族がいます。だから、プーチンの「偉大なロシア」というナショナリズムに対して、同じナショナリズムに基づいてウクライナが反発する。習近平の「中国万歳」に対して、チベットやウイグルが抵抗するのも同様です。ナショナリズムの高揚は、必然的に民族紛争を引き起こします。

ところが、こうした民族紛争がほとんどない国がアメリカです。そもそもアメリカという国の存在基盤は、ナショナリズム（民族主義）ではないからです。

アメリカ人はどんな意識でまとまっているのか。次の講義でお話ししましょう。

［第5章］

アメリカ合衆国を理解する

ネイションを問わない国――アメリカ合衆国の誕生

現在のアメリカ合衆国は北米大陸の半分を占める超大国ですが、イギリスの植民地として出発したときは東海岸だけの小国でした。ほぼ日本列島の大きさで、人口も三百万人くらい。これは当時のスイスやオランダ程度です。しかも十三の植民地がそれぞれ勝手にやっていた。住民代表が議会を作って自治を行っていたのです。

ところが、フランスとの戦争で財政が厳しくなったイギリスはこの十三植民地に対して新たな課税を行います。それに反発して、植民地が結束して立ち上がりました。これがアメリカ独立戦争（一七七五〜八三）で、フランス革命のちょっと前のことです。

そして、独立戦争の中で出されたのがアメリカ独立宣言です。これを書いたのは、後に第三代大統領になるトマス・ジェファソンです。

独立宣言では、「われわれは以下のことを自明の真理と信ずる」として、次のような内容が語られています。

「すべての人は平等に作られ、神によって一定の権利を与えられている。その権利というのは生命・自由・幸福の追求である……」

――オランダ独立のときに出てきた自然権の思想ですね。

そうです。アメリカ独立宣言の基礎になっているのも自然権の考え方ですね。

さらに、こうも言っています。「国家というものは、自然権を守るためにあるのであって、もし国家権力が自然権を脅かす場合には、われわれはその政府を廃止して、新しい政府を建てる権利がある」と。これはジョン・ロックの社会契約説、革命権という思想ですよね。

「イギリス政府は、一方的に課税を行ってわれわれの財産権を脅かし、しかも軍隊を使ってわれわれの同胞の生命まで奪った。イギリス政府はわれわれの自然権を脅かした。だから、イギリス政府に代わる新しい政府を作るのは、神に約束された正当な権利である」と。これが一七七六年七月四日のアメリカ独立宣言です。

世界で初めて「われわれはこういう目的で新しい国家を作るんだ」と宣言した画期的な文書です。

――アメリカ合衆国は、はっきりした目的があって建国された国なんですね。

そういうことです。アメリカ建国の目的は、自然権、人権の保障であると。だから、この理想を信ずるものは誰でもアメリカに来ていい。つまり、生まれ（ネイション）は問わない。こういう非常に特殊な、人工的な国家としてアメリカは生まれました。

他の多くの国、たとえばイギリスや、ロシアや、日本がいつ、なんのために建国されたのか。王朝の始まりは建国神話で説明されますが、共同体としての国家がいつからあるのかははっきりしません。ただなんとなく、「昔からある」としか言いようがない。この点、アメリカは建国の日付まではっきりしているわけです。

このすばらしい独立宣言を作ったトマス・ジェファソンは、バージニアというところでタバコ農園を営んでいた地主「プランター」です。そして、彼のタバコ畑で働いていたのは、実は黒人奴隷たちでした。

当時、アメリカにはアフリカ大陸から一千万人以上の黒人たちが連れてこられていて、家畜のごとく売買されていました。そうすると、この独立宣言に書いてある平等とか自由という概念と、彼らが実際にやってることの間にはすさまじいギャップがあります。独立宣言の中には、奴隷のことは一言も書いていませんから。まるで存在しないかのごとくです。

そもそも、アメリカ大陸には、白人が来る前から先住民がいました。白人が言うところの「インディアン」、アメリカ先住民（ネイティブ・アメリカン）です。彼らは白人たちによって土地を追われていきます。では、先住民の幸福はいったいどこにあるのか。独立宣言はこの点にも一言も触れていません。

このすさまじい偽善。これが、アメリカ合衆国という国の出発点にあるのです。

つまり、宣言に書いてある「すべての人は」という人の中に、黒人と先住民は入ってない。独立宣言で自然権を神に与えられたのは「すべての白人」なのです。黒人初の大統領となったオバマ大統領の幼少期、一九六四年に成立した新公民権法の実施まで、黒人や先住民には参政権がなかったのです。

――アメリカ人は、白人以外を人間扱いしていなかったと。

アメリカ合衆国の特殊性は、スペイン植民地だった中南米諸国と比べるとよくわかります。

アメリカ大陸に植民地を作ったのは、実はスペインが最初です。スペイン人も最初はめちゃくちゃなことをやりました。アステカ帝国やインカ帝国を滅ぼして、先住民を奴隷にした。ただ、そのあとが違います。スペイン人征服者たちは、先住民の女性と結婚して、混血が進んだのです。この混血の人々をメスティーソと言います。黒人との混血はムラートと言います。いまの中南米の人たちの大半は、白人、先住民、黒人の混血です。また、先住民の保護に努力したカトリック教会も少なくありません。

アメリカ合衆国の場合、白人地主が黒人女性を文字どおり「性奴隷」として扱ったため、黒人との混血は進みます（混血児は奴隷として扱われました）。しかし先住民と一切まじわらなかった。ただ追い払うだけです。

なぜそうなるのか。これは実は、宗教思想の問題なのです。

スペインはカトリックの国でしたね。イギリスは国教会ですが、アメリカに渡ったのはイギリス人の中でかなり特殊な人たちです。実は、アメリカに入植した人たちの多くはカルヴァン派だったのです。

イギリスのカルヴァン派をピューリタンと言いますね。これは「purify（ピュリファイ）＝清める」から来た言葉で、文字どおり、清らかな禁欲生活をして、一切の邪悪なものを避けていくという考え方の人たちです。それゆえに、自分たちは神によって選ばれた民だという選民意識を強く持っています。自己犠牲の精神と選民思想は表裏一体なのです。

カルヴァンの予定説を思い出してください。神に救われる人間と救われない人間は初めから決まっているのだと。怠け者、不信心な人、先住民などの異教徒、カトリック教徒のような「異端」のキリスト教徒は救われない。こういう呪(のろ)われた民を排除し、この大陸を「ピュリファイせよ！」という論理が出てくるのです。

――カルヴァン派がそもそも差別的ということですか？

もちろん、カルヴァン自身が人種差別を訴えたことはありません。ただ、予定説が人種差別の思想につながってしまっているんですね。

こういう徹底的な人種差別をやった国は、アメリカ合衆国のほかにもう一つあります。この国はつい最近、一九九〇年代まですさまじい人種差別をやっていました。南アフリカ共和国です。アパルトヘイト（人種隔離政策）は有名ですね。

南アフリカという国は、もともとオランダ植民地でした。オランダはカルヴァン派の本家です。ここでもカルヴァンの教えが人種差別と結びついてしまったわけです。

「マニフェスト・デスティニー」と黒船

十九世紀のアメリカでは「明白なる天命（マニフェスト・デスティニー）」という言葉が流行ります。「デスティニー Destiny」というのは「神が与えた使命」という意味で、運命よりももっと強い意味がある。神との契約により、人間に課せられた義務、といったニュアンスです。

アメリカの建国の父――「巡礼の父祖（ピルグリム・ファーザーズ）」と呼ばれるピューリタンたちが乗ったメイフラワー号が最初に辿り着いたのはプリマスというところです。アメリカ人はこの大陸に自分たちの先祖が流れ着いたことを「神のご意志」と考えました。「神はこの野蛮人の住む大陸を憐れみ、キリスト文明を伝えるべく祖先たちを導いたのである」というわけですね。

したがって、われわれキリスト教徒はこの大陸にキリスト教文明の国を築き、異教徒の野蛮人を追放して「purify」することが、神から受けた使命――マニフェスト・デスティニーである、と考えるのです。

――十字軍みたいですね。

そう。だから神のご意志を実現するのだ、と彼らは思いつめていて、「真面目に」先住民を追放したのです。

ですから、征服の対象となったのは先住民だけではありません。「異端」キリスト教徒――カトリック教徒のスペイン人もやっつけなくてはいけない。隣にあるメキシコはスペイン人と先住民の混血が建てた「けがれた国」で、そこにあってはいけない国ということになります。

アメリカ人たちは、最初は移民としてメキシコへ移住します。もともとのメキシコはいまよりもずっと領土が広くて、現在のテキサス州からカリフォルニア州までの広大な領土がメキシコ領でした。

メキシコはスペインから独立したあともずっと内戦が続いていて、テキサスはいまも不毛の砂漠です。そこにアメリカのピューリタンたちが移民していって、新しい村を作っていく。やがてスペイン語をしゃべっているメキシコ人よりも、英語をしゃべっているアメ

マニフェスト・デスティニー
◎平等権・生命の自由の保障・
幸福追求権・財産権の保障
◎社会契約、革命権
先住民
マニフェスト・デスティニー
PURIFY
(=清める)
アメリカ独立宣言
(1776年7月4日)
英
仏
カリフォルニア
(1848)など
テキサス
(1845)
13植民地
トマス・ジェファソン
(ヴァージニアの
タバコプランター)
奴隷
カルヴァンの予定説
⇓ 選民思想
マニフェスト・デスティニー
(明白なる天命)

リカ人のほうが多くなっていきます。そうなったところで、アメリカ人たちは立ち上がって、「メキシコから独立する」と一方的に宣言し、アメリカ合衆国に加盟を申請したのです。

当然、メキシコは怒ります。こうしてテキサスの帰属をめぐってアメリカ・メキシコ戦争（一八四六～四八）が起こり、アメリカは圧勝して今度は西海岸のカリフォルニアまで奪いました。

カリフォルニアも不毛の地でしたが、アメリカ領になってすぐに金鉱が見つかり、移民が殺到（ラッシュ）しました。ゴールドラッシュです。「やはりわれわれは神に選ばれているのだ」と、アメリカ人はますます舞い上がっていきます。

ここで、一つ問題がありました。アメリカの東海岸からカリフォルニアに行くには、ロッキー山脈という四千メートル級の山脈を越えなければいけない。当時の主な交通手段は馬車でしたから、せっかく金が見つかったのに山を越えることができない。

そこでどうするかというと、船で行くんです。

といっても、当時はまだパナマ運河がない時代です。どんな航路をとったと思いますか？

——南米大陸をぐるっと回るとか？

……ではないんですね。東海岸から出航して、大西洋を渡って、アフリカ最南端の喜望峰を回ってインド洋を抜ける。マラッカ海峡からフィリピンを抜けて、日本をかすめて太平洋を越えてアメリカ西海岸に到達する。これが当時、カリフォルニアに行くための一番安全なルートでした。

カリフォルニアには金鉱があり、イギリス・ロシアなど他の列強が狙っています。アメリカは、モンロー宣言（一八二三）で欧州諸国がアメリカ大陸に干渉しないよう求めていますが、小国アメリカの宣言など、列強は気にも留めていません。結局、カリフォルニアを守るためには、軍隊を送るしかない。地球を一周するルートで艦隊を派遣するわけですから、途中の太平洋に基地が欲しい。そこでアメリカが目をつけたのが日本とフィリピン、それにハワイです。

——なるほど、それで黒船が来たんですね。

ええ。カリフォルニアをアメリカが奪ったのが一八四八年。ペリーの黒船が日本に来航するのは五年後の一八五三年です。そもそもペリーは、対メキシコ戦争のときのアメリカ海軍の艦隊司令官だった人です。ペリー来航の目的は、中国市場の開拓、捕鯨船のための基地の確保など複数ありますが、カリフォルニア問題は、のちの日米関係を考える上できわめて重要です。

こうして、日・米が太平洋で不幸な出会いをしてしまうということになります。

アメリカの「内戦」

ペリー来航の十年前がアヘン戦争です。幕府の対応によっては、日本はアメリカに軍事占領される可能性もあったのです。幸運にもそうならずに済んだのは、この直後にアメリカが二つに割れてくれたからです。日本語では南北戦争（一八六一〜六五）と言いますが、英語ではザ・シヴィル・ウォー、「あの内戦」と呼びます。

南北戦争の根本原因は経済問題でした。当時はイギリス産業革命の絶頂期です。当然、原料の綿花はいくらあっても足りない。しかも、綿花は寒さに弱い作物なので、ヨーロッパでは栽培できません。

アメリカでは、ニューヨークは北緯四十度で盛岡と同じくらい。北部での綿花栽培は無理です。一方、バージニアから南の南部は日本の関東以西と同じなので、綿花の大農園（プランテーション）が建設され、イギリスに綿花を輸出していた。労働力となったのは黒人奴隷です。綿花と奴隷はセットだったのです。

寒冷な北部は仕方がないのでイギリスのように工業でやっていくしかありません。そこで、よちよち歩きながらも産業革命が進んでいく。そうなると、イギリスからの安価な工業製品が大量輸入されると、競争力の弱いアメリカ北部の工業は太刀打ちできません。

——だから関税を引き上げて輸入を阻止しようと……。

はい。保護貿易ですね。一方、イギリスとの自由貿易で原材料の綿花を大量に輸出し利益を得ている南部は、保護貿易に反対する。こうして、北部と南部との利害が対立します。

もともとアメリカ合衆国というのは十三の小さな植民地（ステイツ）が連合（ユナイト）して生まれた国です。そこで南部諸州は、貿易政策がこんなに違うのだから、各州が別々にやっていくことを提案します。われわれ南部は勝手にイギリスと貿易をするから、北部のみなさんは国を閉じてやっていけばいいでしょうと。これを州権主義と言います。

ところが、北部はそれもダメだという。なぜダメなのか。南部が勝手にイギリスと貿易するのはけしからんという。なぜ、北部はこんなことを言うんでしょう。

――南部の綿花を独り占めしたかったからですか？

そう、それともう一つ。南部は、北部にとっても市場なんです。

自由貿易でイギリス製品が南部市場にドドッと流れこんでいる状態では、北部が作った商品が売れません。だから南北を統一市場にして強力な中央政府がイギリス製品をシャットアウトし、北部の産業のための市場を確保しようと考えました。

アメリカ合衆国の中央政府を「連邦政府」と言います。この連邦政府を代表するのが大統領です。ですから、大統領が北部人か、南部人かにより、貿易政策は百八十度変わるのです。

実は独立以来、ずっと南部人の大統領が続いていたのです。北部人の政党を共和党、南部人の政党を民主党と言いますが、大統領選挙をやると民主党六：共和党四くらいの得票率になることが多かった。十九世紀のアメリカは基本的に農業国で、南部の地主階級が主導権を握っていた。ワシントンもジェファソンも南部の地主出身です。

ところが一八六〇年の選挙で、共和党のリンカンが勝利します。リンカンは争点をすり替えました。貿易制度が問題なのではない。奴隷制という非人道的な制度を守る民主党と、これに反対するわれわれ共和党との戦いである、と。

民主党の中にも、「さすがに奴隷制はちょっとまずいだろう」という人たちもいました。これで民主党が割れます。奴隷制を守れという保守派のグループと、奴隷制に反対する改革派です。民主党大会は候補者の一本化に失敗し、二人の候補者が立候補します。このことが、共和党のリンカンを有利にしたのです。

その結果、リンカンの得票率が約四〇％、民主党の二人の候補が三〇％、二〇％となり、リンカンが当選してしまいます。

「得票率四〇％のリンカン当選はおかしい。選挙をやり直せ」と南部人は主張しましたが、リンカンは「私が大統領だ」と応じません。この結果、南部十一州が合衆国から独立し「アメリカ連合国」の樹立を宣言した。これが南北戦争の始まりです。

一八六一年から六五年までの五年間の戦いは、アメリカ人が経験したもっとも悲惨な戦争となりました。南北合わせて三十万人が死にました。二番目に犠牲者が多かったのが第

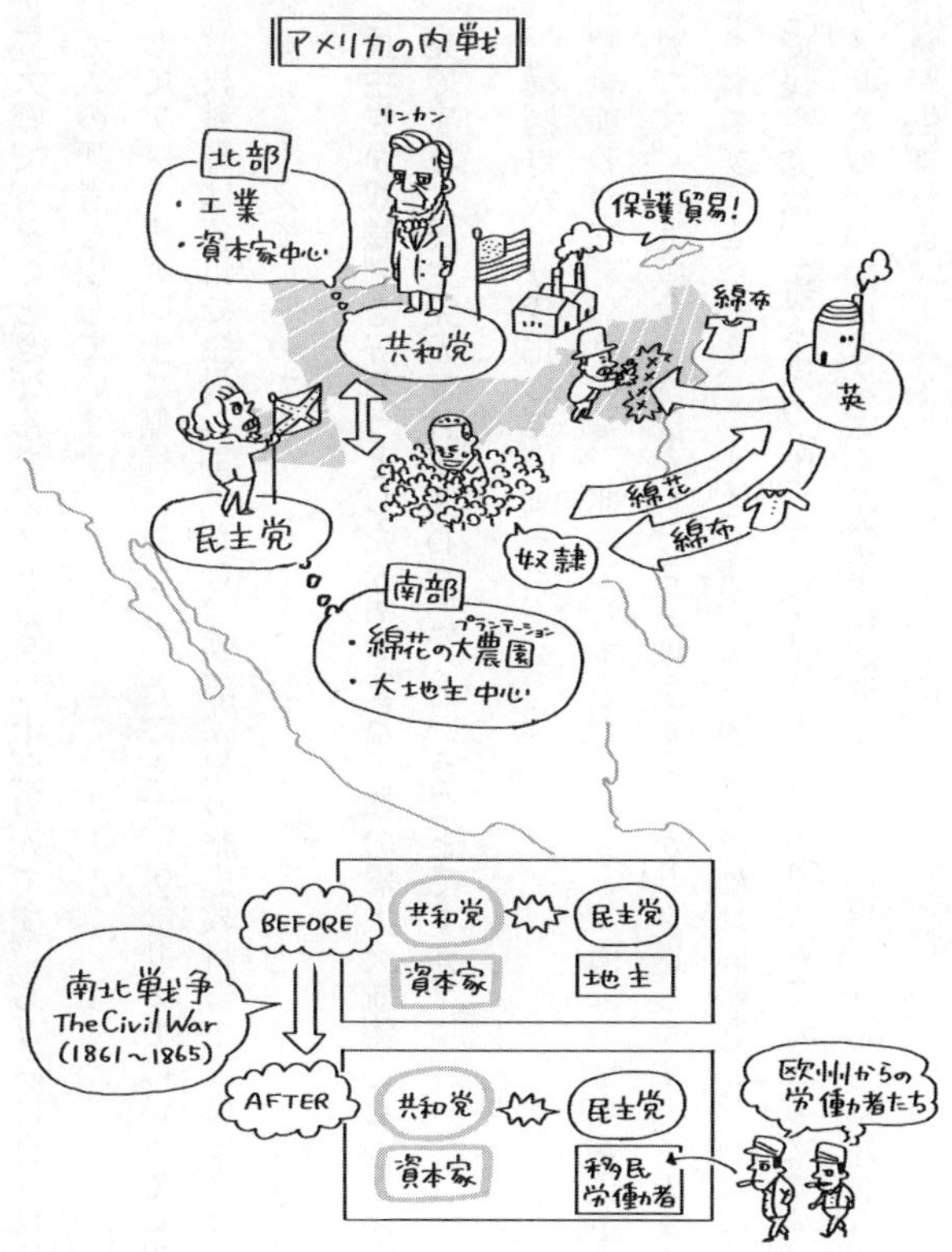
アメリカの内戦
リンカン
北部
・工業
・資本家中心
共和党
保護貿易!
綿布
英
民主党
綿花
綿布
奴隷
南部
・綿花の大農園
プランテーション
・大地主中心
BEFORE
共和党
民主党
資本家
地主
南北戦争
The Civil War
(1861〜1865)
AFTER
共和党
民主党
資本家
移民
労働者
欧州からの
労働者たち

二次世界大戦で、そのとき死んだアメリカ兵は十五万人です。ちなみに日本は第二次大戦で三百万人の死者を出しています。

こうしてアメリカ人同士で無残に殺し合ったことを、アメリカではいまでも引きずっています。教科書は各州で採択しますから、南部諸州の歴史教科書でははっきりと「北部による侵略」と教えているのです。

――民主党が奴隷制を守ろうとしたんですよね。初の黒人大統領となったオバマも民主党ですね。民主党の方針が変わった、ということですか?

そう、構図はかなり変化していますね。

南北戦争前の対立というのは、北部の資本家が共和党と、南部の地主が民主党と組んでいたわけです。南北戦争で南部が負けると地主がすっかり衰退します。このままでは民主党はじり貧です。とはいえ、いまさら資本家と組むわけにはいかない。

そこで民主党は、「資本家の敵」を支持基盤として取りこむことを考えます。南北戦争後、アメリカの北部ではどんどん産業革命が進みます。工場がどんどん建設されると、新たな階層が生まれますよね?

――なるほど、労働者が増えるんですね。

そう、都市部の労働者です。そのほとんどは新しく来た移民でした。アメリカを建てたイギリス系――白人〈White〉・アングロ・サクソン〈Anglo-Saxon〉系・新教徒〈Protestant〉、頭文字からワスプ〈WASP〉と呼びます――とは違って、イタリア系・アイルランド系のカトリックや、ロシアでの迫害を逃れてきたユダヤ系、中国系、日系の移民たちです。民主党はこれらの新移民を支持基盤とし、黒人解放運動にも理解を示すようになるのです。要するに「票」が欲しいのです。

世界を「解放」するための戦争？

南北戦争後のアメリカは、共和党政権が続きます。つまり、資本家の味方ですね。資本家を守るため中南米市場や中国市場への進出をはかります。中国市場へのアクセス・ポイントとして、太平洋の島々、ハワイ王国やフィリピンの併合を画策します。

フィリピンはずっとスペインの植民地でした。中国マーケットに近いということ、温暖でサトウキビのプランテーションを作れるということで、アメリカはフィリピンを狙ったのです。

また、アメリカのすぐ南にあるキューバもスペインの植民地でした。ということは、スペインを倒せばフィリピンとキューバが両方手に入る。そこで、十九世紀の末に、スペインと戦争――米西戦争（一八九八）を起こします。

このとき、アメリカは「スペインの圧政からフィリピンとキューバを解放する」と言って戦争を始めました。

スペインに対する独立戦争に敗れたアギナルドというゲリラの指導者は、英領香港に逃げていました。そのアギナルドのところにアメリカ海軍の艦隊がやってきます。「一緒に戦おう」と誘われ喜んだアギナルドは、米軍に支給された武器を持ってフィリピンに戻り、スペインと戦います。

その一方でアメリカはスペインと裏交渉を行い、フィリピンをアメリカに割譲せよ、と迫ります。スペインとの協定がまとまると、アメリカは手のひらを返して、フィリピン独立運動を弾圧します。「話が違う」と抵抗したアギナルドは逮捕され、ゲリラは皆殺しです。これがアメリカの言う「フィリピン解放」だったわけです。

フィリピン駐留米軍の司令官で、事実上の植民地総督となったのが、アーサー・マッカーサーという人です。そして、アーサーの息子がダグラスです。のちに日本を占領して「民主化」した連合国軍の最高司令官ですね。

ハワイ王国に対しては、テキサス方式で移民を送りこみます。このアメリカ系移民が「ハワイ革命」を起こしてハワイの王朝を倒し、アメリカ合衆国への加盟を申請、合衆国がこれを「受諾」して五十番目の州としたのです。

——アメリカって、イラク戦争のときも「解放」と言っていたような……。

米西戦争の頃から同じです。マニフェスト・デスティニーの延長なのです。

ハワイ、フィリピンをとったアメリカの最終目標は、中国マーケットでした。

当時、清朝はアヘン戦争（一八四〇〜四二）に負け、日清戦争（一八九四〜九五）にも負けて列強に分割されていました。北からロシア、ドイツ、イギリス、日本、フランスがそれぞれ勢力圏——独占市場を持っていた。アメリカはここに入れませんでした。フィリピン制圧で手こずっているうちに乗り遅れたのです。

このとき、アメリカは、「チャイナのドアを開けろ（Open door of China)」と要求します。日本語で「門戸開放宣言」（一八九九）と言いますが、要するに、アメリカの商品を売りたいということです。列強はこれを黙殺しました。

その後、日本とロシアが満州でぶつかりました。日露戦争（一九〇四〜〇五）です。この戦争では、まだ近代国家になって間もない日本が、巨大なロシアに勝つ見込みはありませんでした。だから日本は海軍大国イギリスをバックにつけるという戦略をとります。これが日英同盟です。集団的自衛権の行使ですね。

ロシア革命に乗じて辛勝した日本を助けたのは、意外にもアメリカでした。セオドア・ローズヴェルト大統領が日露両国を仲介し、アメリカのポーツマスで講和会議が開かれます。

セオドア・ローズヴェルトは、武士道を理解していた親日家でした。しかしアメリカが日本に肩入れした理由はそれだけではありません。アメリカの鉄道会社は、講和仲介の見返りとして満州の利権を少しよこせと日本に持ちかけました。具体的には、ロシアから奪った南満州鉄道を共同経営しようというのです。

それを日本が断ると、アメリカは日本をライバル視するようになります。

一方、半植民地に転落した清朝では、孫文が革命を起こして中華民国を建てます。第一次世界大戦は日英同盟とドイツとの戦いとなり、日本はドイツ勢力圏の山東省を奪いました。革命後の内戦が続く中華民国は主権国家として扱われず、パリ講和会議では日本の要求が通りました。北京では最初の反日デモ――五・四運動が発生し、孫文はロシア革命に成功したレーニンの共産党政権に急接近します。

列強は中国問題を協議するワシントン会議（一九二一～二二）を開催し、いったん中国市場から手を引くことを決めます。中国人をいじめすぎるとナショナリズムに火がついて排外運動が起こり、結果的にモノが売れなくなる、という判断です。

――アメリカの求めていた中国の「門戸開放」が実現したんですね。

そうです。ところがそのわずか八年後に、世界恐慌（一九二九）が起こります。各国は過剰生産でモノが売れなくなりました。そこで、植民地や従属国を高関税で囲って独占市場とします。これがブロック経済です。

イギリスはインドとアフリカ、東南アジアとオセアニアを囲い、フランスはベトナムと西アフリカを囲い、アメリカは中南米を囲い……と列強が植民地を囲いこんでいく中で、日本はどこでブロック経済を実現するのか？

日本の植民地は台湾と朝鮮、北太平洋の島々だけで、囲いこんでもたかが知れています。もっと広い植民地が必要だということで、目を向けたのが満州です。

しかし、「中国の門戸開放——植民地化の禁止はワシントン会議での合意事項。これを尊重すべきだ」という外務省と、「満州は満州であって中華民国ではない。日露戦争で倒れた英霊が眠る満州を、日本が支配して何が悪い」という陸軍との対立で意見がまとまりません。

——満州は、もともと清朝の領土だったんですよね。

そうです。そもそも清朝を建てたのが満州人です。清朝崩壊の混乱に乗じて漢人農民がどんどん入植し、馬賊と呼ばれる漢人の武装ゲリラ——張作霖・張学良の親子が勝手に徴税を行い、日本とソ連を手玉にとって独立政権を維持していました。

満州駐留の日本軍（これを関東軍と言います）は張作霖を爆殺し（たことになっていますが、異論もあります）、さらに石原莞爾参謀の独断で、鉄道爆破事件を自作自演して張学良軍を攻撃、こうして起こったのが満州事変（一九三一）です。

これによって、またしてもアメリカは日本に対する警戒を強めます。さらに、満州と国境を接するソ連も日本を警戒するようになりました。

――アメリカはどんな反応をしたんでしょうか。

恐慌対策に失敗した共和党政権に代わり、労働組合をバックにつけた民主党のフランクリン・デラノ・ローズヴェルト（F.D.R.）が大統領になります。父方は日露戦争の仲介で有名なセオドア・ローズヴェルト（こちらは共和党）の一族ですが、母方のデラノ家は、上海を拠点に清朝へのアヘン貿易で財をなした貿易商の一族です。中国市場の確保を何よりも優先する元祖チャイナ・ロビーですから、日本の中国進出を見て、必然的に反日となります。

中華民国では、共産党寄りだった孫文の後継者・蔣介石が、上海の浙江（せっこう）財閥の資金力をバックにして独裁政権を樹立し、中国共産党に対する弾圧を開始します。夫人の宋美齢（そうびれい）は浙江財閥の娘。アメリカ留学経験があるキリスト教徒でした。中華民国は、孫文の「親ソ」から蔣介石の「親米英」へと舵を切ったことになります。

共産党の毛沢東から見れば、蔣介石政権を倒すためには、日本との戦争に引きずりこんで消耗させたほうがいい。だから日本軍が満州でとどまっているよりも、万里の長城を越えて中華民国に侵入してきてほしいわけです。

中国共産党のバックにいるソ連のスターリンは、満州・シベリア国境に大軍を擁する日本軍から自国を防衛したい。日中全面戦争が起これば、満州の日本軍が引き抜かれて中国本土へ送られるだろうと。コミンテルン（共産主義インターナショナル）を通じ、中国共産党は蔣介石政権に対して、「内戦停止、一致抗日」を呼びかけます。これを八・一宣言と言います。

――イギリスは日本に甘かったって、前の章でお話ししてましたね。

リットン調査団の報告書ですね。満州は日本を含む国際管理にしよう、という話です。せっかくイギリスが妥協案を示したのですから、日本はここでストップしておくべきでした。満州事変を起こした石原莞爾も、長城以南への南下に反対していました。本当の敵は北のソ連だから、という理由です。

にもかかわらず、なぜ日本は南下して泥沼の日中戦争に突入したのか、そして結局、アメリカ、イギリスを敵に回すことになったのか。「日本軍が侵略者だったから」では説明になっていません。日本政府・軍部の中にも、スターリンが描いたプランに沿って動いた人たちがいた。「暴支膺懲（ぼうしようちょう）」——暴虐な中国を懲らしめ、「鬼畜米英」を討て、と叫び、ソ連とは日ソ中立条約を結び、満州にいた関東軍の精鋭を、広大な太平洋の戦場へ送りこんで、補給も与えずに餓死させた人たちです。

アメリカに話を戻しましょう。

F．D．R．政権にもスターリンと通じた人々がいました。ソ連との国交を樹立し、蔣介石・毛沢東政権（第二次国共合作）を軍事支援し、日本に対する経済制裁を発動し、日米交渉では日本が絶対飲めない要求を突きつけた人々。「中国からの全面撤退」を求めるハル＝ノートを書いたのは、実はハル国務長官ではなくホワイト財務次官です。戦後、彼はソ連の協力者と疑われ、議会証言の直前に謎の死を遂げました。

日本は満州から中国本土へ、ハワイ真珠湾攻撃へと上手に誘導されています。

アメリカはこの戦争を、「邪悪なファシズム、軍国主義に対する民主主義の防衛戦争だ」と規定しました。大戦末期、制空権を握ったアメリカ空軍は、日本本土の都市を焼きつくす無差別空爆を繰り返し、核兵器まで使用しました。広島ではウラン型、長崎はプルトニウム型と違うタイプの原爆をわざわざ使い、殺傷能力を調査しています。

それからマッカーサーが乗りこんできて、「日本を解放した」と言うのです。

――お父さんがフィリピンを「解放」したように……。

いわば「植民地総督」気取りで、皇居の目の前にドーンとオフィスを構えて命令した。邪悪な軍国主義から日本人を解放して民主主義を教えるのだ、というわけです。そして米軍占領下で英文憲法を作るという、キューバやフィリピンでやったのと同じことを日本でやった。その「日本解放」のいわば記念碑が日本国憲法です。戦争中、暴支膺懲・鬼畜米英を叫んだ政治家や言論人たちが、一夜にして民主主義万歳、戦争反対と言い出したのは、単に保身のためだったのでしょうか。

第二次世界大戦の最大の勝者はソ連でした。東欧と中国・朝鮮・ベトナムを共産化できたのですから。アメリカは、ドイツと日本を潰してソ連を膨張させたことにようやく気づき、ソ連との冷戦を始めます。今度は「邪悪な共産主義から自由を守る」というわけです。日本の再武装と日米安保条約は、このときの産物です。しかし皮肉なことに核兵器の拡散が、世界滅亡につながる世界大戦を不可能にしていました。

朝鮮戦争、ベトナム戦争など局地戦を繰り返しつつ、冷戦は半世紀にわたる持久戦となりました。経済システムが脆弱なソ連がこれに耐えられなくなり崩壊したため、最終的にアメリカの自由主義が勝利します。

その後起こったのが、イスラム原理主義との戦いです。

――二〇〇一年の、九・一一同時テロですね。

あの事件の真相が明らかになるのはずっと先のことでしょうが、あれを機にアメリカはアフガンとイラクに対する軍事侵攻を始めます。今度は「テロとの戦い」です。その帰結は、いまだ不透明です。アメリカが「解放した」はずのイラクでは、内戦が再発しました。アフガンの無政府状態は、駐留NATO軍を苦しめています。

アメリカという国の怖いところは、敗戦経験がないことでしょう。ベトナム戦争では確かに負けましたが、米軍の派兵をやめたというだけです。ベトナム軍がアメリカ本土を空爆したわけではない。だから人の痛みがわからないし、反省ができない。いつまでも子供のように「アメリカは自由と人権を守る義務がある」という正義感から、世界中に爆弾を落としまくってきたわけです。

アメリカに中華系大統領が生まれる日

アメリカ合衆国はネイション——出身民族を問わない国です。だから多くの移民を受け入れてきました。ヒスパニック系（スペイン語を話す中南米系）の人口がいまのペースで増えれば、二〇四〇年代に白人人口が過半数を割ると予想されています。

これがアメリカの強さであり、危うさでもあります。

黒人初のオバマ大統領の次は、おそらく女性初のヒラリー・クリントン大統領が誕生すると予想されていましたが、その前に立ちはだかったのが、ドナルド・トランプ候補でした。不動産王だが政治経験なし、というトランプは泡沫候補と見られていましたが、「メキシコ国境に長城を築いて不法移民の入国を阻止する！」という過激な公約に白人労働者層が熱狂し、ついに共和党の大統領候補として指名されました。ヒスパニック移民の急増に対するアメリカの白人社会のいらだちの表れで、欧州における移民排斥運動とも連動しています。

しかし「トランプ現象」はアメリカの白人社会の「最後の抵抗」だと私は見ています。

人口構成で白人が多数派の地位を失うのは、時間の問題だからです。

二十世紀の超大国アメリカをこれまで支えてきたのは、ピューリタン的な勤勉で真面目な文化でした。それが徐々にヒスパニック的、カトリック的、享楽的な文化に取って代わられていくということです。

かつて、テキサスやカリフォルニアに進出したアメリカ人がそこをアメリカ化したのとはちょうど逆で、「アメリカのメキシコ化」が起きつつあるともいえます。二十一世紀後半にはアメリカという国自体が、メキシコやブラジルのような国へと変質しているかもしれません。

いずれは中華系のアメリカ大統領が誕生する日も来るでしょう。そうなれば、米中関係は激変します。「日米安保があるから大丈夫」などとのんきなことは言っていられなくなるのです。日本人自身の覚悟が問われる時代が来るのです。

あとがき

「予備校で、世界史の講師をやってます」

と自己紹介すると、

「へぇ〜、いいですね。自分も世界史、大好きでした！」

と言ってくれる人はごく稀です。大半の人の反応は、しばしの沈黙ののち、

「世界史ですか……、実は、暗記が苦手でしてね……いまでは何も覚えていません」

年号やカタカナ人名を丸暗記させられ、苦痛のみが残り、高校を卒業してしまえば世界史を勉強する機会はもはやなく、そのまま年を重ねていってしまう人がほとんどであるというのが現実です。

一方で、日々刻々と世界で起こるニュースの背景には必ず歴史的な原因があり、世界史の教養がないとこの部分がまったく理解できないまま終わってしまうのです。

日々の世界のニュースを理解したり、外国人とお付き合いしたりする際に最低限必要な

教養をまとめたような本、「大人向けの世界史」を出せたらいいな、と漠然と考えていたところ、新進の出版社ヒカルランドさんからお声がけをいただき、本書の企画がスタートしました。

同社取締役の本間肇様、ライターの川端隆人様に生徒役をお願いし、二日間、十時間ほどの「講義」をさせていただき、文字起こしをして完成したのが本書です。よき「生徒」としてお付き合いいただいたお二人がいなければ本書は完成できませんでした。感謝いたします。また、学生時代の先輩であり、師匠でもあり、よき友人である岐阜県高等学校教諭・林直樹氏には第1章の校正段階でアドバイスをいただきました。感謝いたします。

新書版へのあとがき

本書の刊行後に、『世界史で学べ！　地政学』（祥伝社）、『世界史を動かした思想家たちの格闘』（大和書房）、『ニュースの〝なぜ？〟は世界史に学べ』（SB新書）を出させていただきました。雑誌の取材のほか、ラジオ番組やテレビ番組からもコメンテーターとして出演の依頼をいただくようにもなりました。一般の読者のみならず、報道番組の制作スタッフの方々も、「ニュースの見方」を学びたいと真剣に考えておられることを知りました。「世界史の知識があると、ニュースがこんなに面白くなる」というコンセプトを最初に打ち出したのは、実は本書『世界史講義』だったのです。

このビジネス社様から新書化のお声がけをいただきました。学生でも手に入れやすい価格で本書がリニューアルされることは、著者として望外の喜びです。最新の世界情勢に合わせて、一部加筆しました。より多くの方に本書を手にとっていただき、ニュースを見る目が変わった、という経験をしていただければ幸甚です。

二〇一六年盛夏

文庫版へのあとがき

そしてさらに三年が経ち、令和の御代を迎え、今度は祥伝社様から文庫化のお声がけをいただきました。祥伝社黄金文庫では『世界史で学べ！　地政学』に続く二冊目となります。

この間、私も執筆のかたわら、YouTubeを情報発信の場とするようになり、「もぎせかチャンネル」の登録者も2万人を超えました（二〇一九年十二月）。

高い月謝を払わなくても、どこでもだれでも学べるという夢のような時代になりました。その一方で、ネット上の情報は玉石混交です。日々、大量の情報が飛び交う中で、「本物」を見極めるには、やはり歴史や宗教に関する基礎的な教養が必要不可欠なのです。

本書がその一助になれば、幸いです。

二〇二〇（令和二）年如月

茂木　誠

本書は２０１４年にヒカルランドから刊行された『世界のしくみが見える世界史講義』を改題し、加筆修正して文庫化したものです。

一〇〇字書評

切り取り線

購買動機（新聞、雑誌名を記入するか、あるいは○をつけてください）

□（　　　　　　　　　　　　）の広告を見て	
□（　　　　　　　　　　　　）の書評を見て	
□ 知人のすすめで	□ タイトルに惹かれて
□ カバーがよかったから	□ 内容が面白そうだから
□ 好きな作家だから	□ 好きな分野の本だから

●最近、最も感銘を受けた作品名をお書きください

●あなたのお好きな作家名をお書きください

●その他、ご要望がありましたらお書きください

住所	〒				
氏名		職業		年齢	
新刊情報等のパソコンメール配信を 希望する・しない	Eメール	※携帯には配信できません			

あなたにお願い

この本の感想を、編集部までお寄せいただけたらありがたく存じます。今後の企画の参考にさせていただきます。Eメールでも結構です。

いただいた「一〇〇字書評」は、新聞・雑誌等に紹介させていただくことがあります。その場合はお礼として特製図書カードを差し上げます。

前ページの原稿用紙に書評をお書きの上、切り取り、左記までお送り下さい。宛先の住所は不要です。

なお、ご記入いただいたお名前、ご住所等は、書評紹介の事前了解、謝礼のお届けのためだけに利用し、そのほかの目的のために利用することはありません。

〒一〇一-八七〇一
祥伝社黄金文庫編集長　栗原和子
☎〇三（三二六五）二〇八四
ohgon@shodensha.co.jp

祥伝社ホームページの「ブックレビュー」からも、書けるようになりました。
www.shodensha.co.jp/bookreview

祥伝社黄金文庫

日本人の武器としての世界史講座

令和2年3月20日　初版第1刷発行
令和6年3月10日　　　第3刷発行

著　者　茂木　誠

発行者　辻　浩明

発行所　祥伝社

〒101－8701
東京都千代田区神田神保町3－3
電話　03（3265）2084（編集部）
電話　03（3265）2081（販売部）
電話　03（3265）3622（業務部）
www.shodensha.co.jp

印刷所　萩原印刷

製本所　ナショナル製本

Printed in Japan　© 2020, Makoto Mogi　ISBN978-4-396-31778-2 C0120

祥伝社黄金文庫

桐生 操
知れば知るほど おそろしい世界史
【古代文明〜中世の暗黒】

知れば知るほど……これまで縁遠かった歴史上の人物が、急に血のかよった人間になって、ムクムクと動きだす!

桐生 操
知れば知るほど 淫らな世界史
【中世ルネサンス〜近代の欲望】

これまで知らなかった歴史上人物の素顔や歴史的事件の、アッと驚く意外な真相が続々登場!

桐生 操
知れば知るほど あぶない世界史
秘密結社からミステリー・ゾーンまで

秘密結社、殺人結社、心霊現象、人外魔境……歴史はこんなにも血と謀略と謎に満ちている!

桐生 操
知れば知るほど 残酷な世界史
拷問、処刑、殺人…禁断のファイル

虐殺、拷問、連続殺人……なぜ「他人の不幸」は覗き見したくなる? お食事中の「ながら読み」は危険です。

桐生 操
知れば知るほど 悪の世界史
〝教科書には書けない〟〝あの人〟の別の顔

ネロ、ヒトラー、クレオパトラ……歴史に名を残す〝悪〟たちに、悪意が芽生えた瞬間とは……?

八幡和郎
アメリカ歴代大統領の通信簿
44代全員を5段階評価で格付け

彼らの業績をA〜Eの5段階で評価すると、意外な事実が浮上した! では、トランプ大統領ならどうなる?

祥伝社黄金文庫

清水馨八郎
侵略の世界史
この500年、白人は世界で何をしてきたか

500年のスパンで俯瞰して初めて見える歴史の真実。「米国同時多発テロの背景と日本の対応」を緊急収録。

清水馨八郎
裏切りの世界史
この1000年、彼らはいかに騙し、強奪してきたか

謀略と奸計の渦巻く国際社会の中で唯一、日本だけがウブでお人好しで、金をむしり取られていた!

清水馨八郎
大東亜戦争の正体
それはアメリカの侵略戦争だった

植民地を解放した世界史に特筆すべき「革命」――今こそ、歴史認識のコペルニクス的転回を!

荒俣　宏
荒俣宏の世界ミステリー遺産

ダ・ヴィンチ「巨大壁画」の最新事実、実在した『ハリー・ポッター』の登場人物……33の謎に挑む!!

井沢元彦
歴史の嘘と真実
誤解だらけの「正義」と「常識」

語られざる日本史の裏面を暴き、現代の病巣を明らかにする会心の一冊。井沢史観の原点がここに!

井沢元彦
誰が歴史を歪めたか
日本史の嘘と真実

教科書にはけっして書かれない日本史の実像と、歴史の盲点に迫る! 著名言論人と著者との白熱の対談集。

祥伝社黄金文庫

樋口清之

逆・日本史

〈市民の時代編　昭和→大正→明治〉

“なぜ”を規準にして歴史を遡っていく方法こそ、本来の歴史だと考えている。（著者のことばより）

樋口清之

逆・日本史

〈武士の時代編　江戸→戦国→鎌倉〉

「樋口先生が語る歴史は、みな例外なく面白く、そしてためになる」（京都大学名誉教授・会田雄次氏）

樋口清之

逆・日本史

〈貴族の時代編　平安→奈良→古代〉

「なぜ」を解きつつ、日本民族の始源に遡る瞠目の書。全国民必読のロング・ベストセラー。

樋口清之

逆・日本史

〈神話の時代編　古墳→弥生→縄文〉

ベストセラー・シリーズの完結編。「疑問が次々に解き明かされていく興奮を覚える」と谷沢永一氏も激賞！

樋口清之

完本　梅干と日本刀

日本人の知恵と独創の歴史

日の丸弁当の理由、地震でも崩れない城の石垣……日本人が誇る豊かな知恵の数々。真の日本史がここに！

樋口清之

秘密の日本史

梅干先生が描いた日本人の素顔

仏像の台座に描かれた春画、平城京時代からある張形……教科書では学べない、隠された日本史にフォーカス。

祥伝社黄金文庫

渡部昇一
日本史から見た
日本人・古代編
「日本らしさ」の源流

日本人は古来、和歌の前に平等だった……批評史上の一大事件となった渡部史観による日本人論の傑作!

渡部昇一
日本史から見た
日本人・鎌倉編
「日本型」行動原理の確立

日本史の鎌倉時代的な現われ方は、昭和・平成の御代(みよ)にも脈々と続いている。日本人の本質はそこにある。

渡部昇一
日本そして日本人
世界に比類なき「ドン百姓発想」の知恵

日本人の本質を明らかにし、その長所・短所、行動原理の秘密を鋭く洞察。現代人必読の一冊。

渡部昇一
東條英機　歴史の証言
東京裁判宣誓供述書を読みとく

日本はなぜ、戦争をしなければならなかったのか?——日本人が知っておくべき本当の「昭和史」。

渡部昇一
学ぶためのヒント

いい習慣をつけないと、悪い習慣ばかりが身につく——。若い人たちに贈る「知的生活の方法」。

渡部昇一
60歳からの人生を
楽しむ技術

健康でボケずに95歳を迎えるには——高齢者に教わったノウハウを自分なりに咀嚼(そしゃく)、具体例で示す実践的幸福論。